afgeschreven

Nathalie Jane Prior

illustraties Janine Dawson

Lily Quench

en de Zwarte Bergen

Uitgeverij Sjaloom & Uitgeverij Bakermat

Gefeliciteerd met je 70ste verjaardag, pap (Gordon)
– 6 oktober 2001

© 2001 tekst *Natalie Jane Prior*
© 2001 illustraties *Janine Dawson*
© Nederlandse vertaling Baeckens Books nv
In coproductie uitgegeven:
Voor België: Uitgeverij Bakermat, Mechelen
Voor Nederland: Uitgeverij Sjaloom, Amsterdam

Oorspronkelijke uitgave: Hodder Children's Books Australia,
a division of Hachette Children's Books
Oorspronkelijke titel: *Lily Quench and the Black Mountains*

Vertaling: *Anneliet Bannier*, Koog aan de Zaan
Ontwerp omslag en binnenwerk: *Andrea Scharroo*, Amsterdam
ISBN Nederland 978 90 6249 537 5
ISBN België 978 90 5461 540 8
D/2008/6186/37
NUR 282

Enkele oude bekenden...

Lily Quench

Lily is de laatste telg van het drakendodersgeslacht Quench van Asrijk. Toen ze een baby was, verloor ze haar ouders. Ze werd opgevoed door haar grootmoeder Ursula. Na Ursula's dood werd Lily door kapitein Zots en juffrouw Maldiva gedwongen om de draak te doden die Asrijkerstad aanviel. Maar Lily raakte bevriend met Koningin Draak; samen verjoegen ze het leger van de Zwarte Graaf uit Asrijk en zetten ze de verdwenen kroonprins Leopold op de troon.

Koningin Draak

Sinhara Vuurzon (Koningin Draak voor haar vrienden) is een drieduizend jaar oude, donkerrode draak van vier verdiepingen hoog. Als ze niet in Asrijk is, woont ze in een vulkaan, waar ze een flinke voorraad goud verbergt om af en toe van te snoepen als ze trek heeft (draken eten metaal).

Koning Leopold van Asrijk

Zoon van koning Alwin de Laatste, die omkwam bij het Beleg van Asrijk tijdens de Invasie van de Zwarte Graaf. Leopold was ondergedoken en werkte als bibliothecaris in het kasteel toen Lily begon met haar zoektocht naar de verdwenen prins. Zij zorgde ervoor dat hij tot koning gekroond werd en dat de macht van de Zwarte Graaf in Asrijk gebroken werd.

Koningin Angeline van Asrijk

De koningin, geboren als Angeline Helder, werkte voor de Zwarte Graaf totdat ze Leopold ontmoette. Angeline leidde de aanval van de paperclipmakers tijdens de Slag om de Kerk van Asrijk. Daarbij kwam ze bijna om het leven. Nadat de manschappen van de graaf verdreven waren uit het vorstendom, trouwde Angeline met koning Leopold en werd koningin van Asrijk.

Meneer Hartman

Meneer Hartman, pastoor van de Kerk van Asrijk, werd als jongeman uit Asrijk verdreven door het leger van de Zwarte Graaf. Meneer Hartman hielp Lily om de verdwenen prins Leopold op de troon te zetten.

Kapitein Willibrord Zots

Als gouverneur van Asrijk voor de Zwarte Graaf werd kapitein Zots gevreesd om zijn harde stem en slechte humeur. Hij werd verraden door zijn assistente, juffrouw Maldiva, en tewerkgesteld in de paperclipfabriek. Door zijn ervaringen daar werd hij een ander mens.

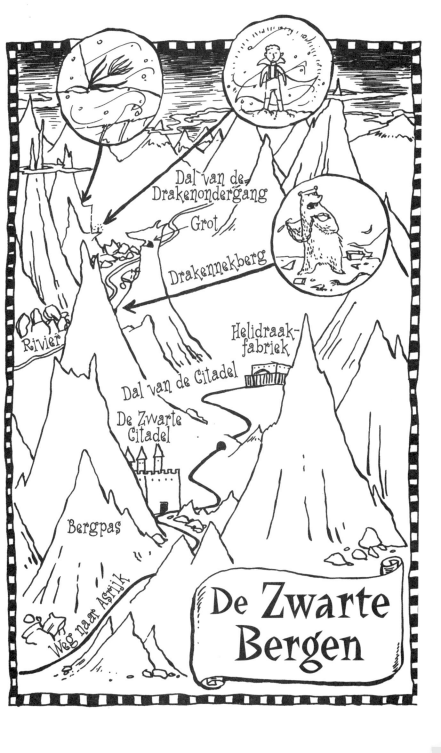

Dal van de
Drakenondergang

Grot

Drakennekberg

Rivier

Helidraak-
fabriek

Dal van de Citadel

De Zwarte
Citadel

Bergpas

Weg naar Astrik

De Zwarte
Bergen

1

Terugkomst van de Graaf

Het sneeuwde.

Over de messcherpe pieken van de Zwarte Bergen blies een gure wind en sneeuwvlokken joegen door het Dal van de Citadel. De wind floot door de spleten in de muren van de mijnwerkershutten en blies de rookpluimen aan flarden die uit de schoorstenen van de soldatenbarakken kwamen. Op de binnenplaats van de Zwarte Citadel probeerde een groep arbeiders in veel te dunne kleren de berg sneeuw te ruimen die van het dak van het wachthuis was gegleden. Bij de wachtposten brandden een paar vuurtjes, maar dat was alles.

Gordon zat in zijn torenkamer en keek uit

het raam of zijn vader al thuiskwam. Hij had bevolen dat ze het hem meteen moesten vertellen als de gepantserde auto over de pas reed, maar toch kon hij niet wachten op de eerste glinstering van de koplampen op de weg.

Zijn slaapkamer was donker, op het vuur in de haard en een lamp bij zijn bed na. Door de storm waren er buiten geen sterren te zien. In de Zwarte Bergen duurde de winter langer dan waar ook, en dus leek het of het er altijd sneeuwde.

Gordon had het warm. Zijn vloer was bedekt met een dik, veelkleurig tapijt, er stond warme chocolademelk op een driepoot en hij had net een heerlijk diner gegeten, bestaande uit soep, biefstuk, patat en ijs. Toch was hij onrustig. Zijn vader had al uren thuis moeten zijn. Gordon wilde hem vertellen dat hij bij het doel schieten drie keer de roos had geraakt, over het laatste nieuws uit de wapenfabriek en dat Julia zich zo vreemd gedroeg sinds hij naar Asrijk vertrokken was. Ongeduldig deed Gordon zijn raam open en stak zijn hoofd naar buiten. De kou kwam als een mokerslag, huilend en gierend, en geselde zijn wangen met duizenden speldenprikken.

Opeens slaakte Gordon een gil en dook naar beneden. Een enorme zwarte schaduw was uit het niets naar beneden gedoken en vloog recht over hem heen. Hoewel de schaduw net zo snel weer verdween als hij gekomen was, voelde Gordon nog een vlaag warme wind en spatte er water op zijn gezicht. Dat waren gesmolten sneeuwvlokken. Ze bevroren vrijwel meteen weer, maar er was nog iets anders: de geur van iets heets, van olie en metaal, die bleef hangen toen de hitte al verdwenen was. Deze geur was zo sterk dat hij zich die niet verbeeld kon hebben.

Gordon bleef nog even uit zijn raam hangen in de hoop dat de vreemde verschijning terug zou komen. Hij was niet echt bang, maar wel nieuwsgierig en hij wilde weten wat hij net had gezien. Hij dacht dat het een soort gepantserde vliegende machine was. Maar het ding was verdwenen. Er klonk geen alarm vanaf de wachttorens, de wacht onder hem liep gewoon zijn ronde. En toen, op de bergpas in de verte, zag hij de eerste flikkering van koplampen en wist hij dat zijn vader bijna thuis was.

Op een bergrichel hoog boven de Zwarte Citadel klauterde Lily Quench uit de bek van haar draak en wikkelde haar vuurvaste mantel stevig om zich heen. Hoewel Koningin Draak haar beste vriendin was, vond ze het nog steeds een beetje eng om op de schubbige drakentong te zitten. Meestal zat ze op de kop van Koningin Draak als ze reisden, maar de stormen in de Zwarte Bergen waren zo woest dat ze er ogenblikkelijk afgewaaid zou zijn. In de drakenbek was het in elk geval warm geweest, en dat was het beslist niet op de plek waar ze nu stonden.

Lily schuilde in het holletje bij de voorpoot van Koningin Draak en keek door haar nachtkijker. Zelfs daarmee was het moeilijk om iets te zien in de storm, maar gelukkig waren de ogen van Koningin Draak beter dan die van haar.

Opeens liet de draak haar kop zakken tot achter de rots. 'Ssst!' zei ze.

Lily viel op haar knieën, kroop een stukje naar voren en keek tussen een paar rotsen door.

Door haar kijker zag ze een rij koplampen de pas op komen. Het gieren van zwoegende motors was net hoorbaar boven de wind. Eerst kwamen er twee tanks, gevolgd door motorfietsen, een slanke, gepantserde auto met sneeuwkettingen om de banden en ten slotte nog twee motorfietsen. De optocht bereikte de top van de pas en reed vlak langs hen heen naar het dal aan de andere kant.

'Engerd,' mompelde Koningin Draak toen de gepantserde auto van de Zwarte Graaf voorbij reed. Ze had die uitdrukking overgenomen van een vriend in Asrijkerstad en ze gebruikte hem vaak. 'Engerd. Eén vuurbal en hij is net een gebraden kip.'

'Nee, Koningin Draak,' zei Lily streng. 'Je weet wat ons gezegd is. We moeten alleen uitzoeken wat er gaande is. We mogen niets anders doen tot koning Leopold het zegt.'

'Hmpf,' zei Koningin Draak. 'Je weet hoe ik erover denk. Hebben we niet genoeg gezien en kunnen we niet iets doen? Trouwens, ik krijg de bibbers van deze plek.' Ze keek ongelukkig naar de rotsen van de Drakennek die achter hen oprezen. 'Mijn schubben gaan rechtovereind staan alleen maar omdat we hier zijn.'

'Die van mij ook,' zei Lily. Ze rilde, en niet alleen van de kou. 'We gaan. Als we nu vertrekken, zijn we morgenochtend in Asrijkerstad.'

Even later was de richel boven de pas weer leeg. Hoog daarboven vloog een donkere schaduw een rondje en zette toen koers naar het oosten. Beneden in het dal had de gepantserde auto met zijn begeleiders de citadel bereikt. De grote ijzeren poort zwaaide langzaam open, als een enorme bek, en de auto reed naar binnen.

In zijn ontvangstkamer in de citadel trok de Zwarte Graaf zijn leren handschoenen uit en legde ze op tafel. Hij haalde een sleutel uit zijn zak en maakte de enorme ijzeren kist open die zijn bedienden voor hem hadden neergezet. Wat erin lag, leek op een verschroeid en verbogen autowiel, een stapeltje foto's tussen twee stukken rood karton en een zwartleren damesschoen.

De graaf ging op een hoge stoel met veel houtsnijwerk zitten. Hij was geen grote man en ook niet erg knap of elegant. Maar als hij zijn mond opendeed, luisterde iedereen om de een of andere reden altijd naar zijn zachte stem.

En als hij een kamer binnenkwam, maakten de mensen altijd plaats en vielen ze stil. De graaf had een tiental landen in zijn macht. Hij had naties, vorstendommen en koninkrijken veroverd, en hele steden in de as gelegd. Vrijwel alle inwoners van zijn rijk trilden als ze aan hem dachten, of doken ineen wanneer zijn naam genoemd werd.

De deur ging open. 'U heeft naar mij gevraagd, Uwe Eminentie?'

'Kom binnen, Sark,' zei de graaf, en generaal Sark, bevelhebber van de Zwarte Brigades, klapte zijn hielen tegen elkaar en liep naar binnen. Toen hij bij de tafel kwam en de open kist zag, stopte hij verrast.

'Is dat alles wat er van de auto over is, Uwe Eminentie?'

'Ik vrees van wel,' zei de graaf. 'We denken dat Zots' assistente probeerde terug te keren naar de citadel om ons te waarschuwen dat ze werden aangevallen. Door iets heel sterks en gevaarlijks.'

Hij gaf Sark de foto's. De generaal bekeek

ze snel. Bij elke foto werd zijn gezicht bleker. 'Dit is ongelooflijk. Zoiets heb ik nog nooit gezien.'

'Ik ook niet,' zei de graaf. 'Zoals je ziet, maakt dit de situatie in Asrijk veel ernstiger dan we dachten. Heb je nog berichten ontvangen terwijl ik weg was?'

'Niets,' zei generaal Sark. 'Ik ben bang dat onze spionnen in Asrijk gedeserteerd zijn.'

'Er is vast nog wel iemand,' zei de graaf. 'Er is altijd wel iemand. Spoor hen op, Sark. Zoek uit wat er in Asrijk gebeurt en zorg dat je te weten komt wat hun geheime wapen is. Wij moeten er ook zo een hebben, meerdere als dat mogelijk is.' Hij keek op want er werd aan de deur gekrabbeld. 'Kom binnen, Gordon. Ik wist niet dat je nog wakker was.'

De deur ging opnieuw open en Gordon kwam binnen. 'Ik heb op u gewacht,' zei hij en heel eventjes wilde hij zijn vader vertellen over het ding dat hij boven de citadel had zien vliegen. Maar toen zag hij de uitdrukking op generaal Sarks gezicht en zweeg.

De graaf stak zijn hand uit naar Gordon. Hoewel hij buiten in de sneeuw was geweest, waren zijn vingers warm. 'Wat wilde je zeggen, mijn zoon?'

Gordon schrok op. 'N-niets, vader,' stamelde hij. 'Alleen… dat ik vanochtend drie keer de roos heb geraakt met doel schieten. Ik dacht dat u dat wel wilde weten.'

'Uwe Excellentie zult de Jongensbrigade vast geen uitdaging meer vinden,' zei generaal Sark sluw, en Gordon haatte hem erom. 'Drie keer in de roos! Op die manier voert u voor het einde van het jaar nog het bevel over uw eigen Zwarte Brigade.'

'Dat beslist mijn vader,' zei Gordon kortaf. Er was iets aan generaal Sark waardoor hij zich altijd ongemakkelijk voelde en hij wenste uit de grond van zijn hart dat de generaal wegging. Maar aan de bezorgde uitdrukking op zijn vaders gezicht zag hij dat dit vanavond niet zou gebeuren.

'Er is later tijd genoeg voor het echte leger,' zei de graaf. 'Ik wil Gordon niet dwingen iets te doen waar hij nog niet klaar voor is, vooral wanneer ik ergens anders bezig ben.' Zijn ogen dwaalden weer naar de tafel, en Gordon zag nu pas de foto's van het verwrongen wrak op de Asrijkse weg: de armzalige overblijfselen van een sportauto die – maar dat wist hij niet – grotendeels was opgegeten door dezelfde draak die hij net over de citadel had zien vliegen.

'Er komt oorlog, hè?' zei hij en hij wist niet of hij nu wel of niet opgewonden moest zijn.

De Zwarte Graaf glimlachte tegen hem. 'Mijn zoon,' zei hij, 'er is altijd wel ergens oorlog.'

2

De Raad van koning Leopold

'Verdorie!' zei Lily Quench teleurgesteld. 'Dat waren de laatste.'

Ze keek naar Jason, en Jason Paerel keek naar haar. Op de eikenhouten tafel tussen hen in siste een glazen kolf boven een gasbrander. Er kwam groene rook uit en er zat zwarte plakkerige smurrie op het plafond van Lily's slaapkamer. Het leek spectaculair, maar groene rook en plakkerige smurrie was niet wat ze wilden maken.

'Je hebt mijn scheikundeset verpest,' zei Jason nijdig.

'Wat kan mij je scheikundeset schelen. Jíj wilde dit doen,' antwoordde Lily. 'Ik zei toch dat er niet genoeg blaadjes waren. Bovendien kun je zo een nieuwe scheikundeset kopen, maar het is maar de vraag of we een nieuwe blauwe lelie kunnen vinden voor het maken van de Blusdruppels.' Ze schudde haar zakdoekje en een paar vaalblauwe snippers dwarrelden als goudvissenvoer op de grond. Ze gaven nog een vage geur af, maar het was duidelijk te weinig voor een nieuwe poging.

'Je moet die lelieblaadjes vast nog wel ergens kunnen krijgen,' zei Jason. 'Je grootmoeder had ze tenslotte in haar Drakendoderskist. Ze moet ze tijdens haar reizen ergens gevonden hebben.'

'Dat denk ik wel,' zei Lily. 'Mijn moeder was tuinier en ik hoopte dat ze de lelie had gekweekt. Maar de nieuwe hoofdtuinman van de Botanische Tuin had nog nooit zoiets gezien in Asrijk.'

'Kan Koningin Draak niet helpen?' vroeg Jason.

'Ik ben bang dat ze dat niet wil,' zei Lily. 'Blusdruppels zijn bedacht om draken te doden,

weet je nog? Als ik haar zou vertellen dat we
ze proberen te maken, wordt ze vast erg boos.'

Lily legde het receptenboek van haar grootmoeder terug in de kast, samen met haar
zwaard en haar vuurvaste mantel. Ze dacht
terug aan de tijd dat ze met haar grootmoeder in het huisje naast de paperclipfabriek had
gewoond. Lily had alle hoeken en gaten daar
al doorzocht. De lapjeskat van oude Ursula
glimlachte tegen haar vanaf het bed, alsof ze
iets wist dat Lily niet wist. Toen werd er op
kasteel Asrijk een klok geluid.

'Kom, Jason,' zei Lily. 'We moeten gaan. De raad van Koning Leopold komt zo bijeen.'

Koning Leopold van Asrijk was nog maar kort koning. Nog niet zo lang geleden had hij zich zelfs afgevraagd of hij ooit wel koning zou worden. Tien jaar lang was Leopold ondergedoken, terwijl het leger van de Zwarte Graaf over zijn koninkrijk heerste. Als klein jongetje was hij door Lily's grootmoeder, Ursula Quench, Asrijk uitgesmokkeld. Eenmaal volwassen was hij heimelijk teruggekomen en had hij in de kasteelbibliotheek gewerkt en plannen gemaakt om zijn koninkrijk te bevrijden.

Het was een zware tijd geweest, gevaarlijk en beangstigend. Leopolds ware identiteit kon elk ogenblik bekend worden, zijn plannen ontdekt, zijn kostbare boeken en manuscripten in de gloeiend hete ovens van de paperclipfabriek gegooid. Elke avond als hij naar bed ging, had hij een zucht van verlichting geslaakt, omdat hij weer een dag overleefd had. Maar nu hij eindelijk koning was, was het leven niet veel beter. Leopolds onderdanen waren arm, zijn koninkrijk lag in puin en het leger van de Zwarte Graaf kon elk ogenblik terugkeren. Soms gaf alleen nog de gedachte aan zijn vrouw, koningin Angeline, hem de kracht om door te gaan.

Maar hij wist niet dat Angeline nog banger was dan hij.

Koningin Angeline zat naast hem in de troonzaal, gekleed in een eenvoudige rode jurk en met een zorgelijke rimpel in haar voorhoofd. Rond de tafel zaten de andere koninklijke raadsleden: Jason Paerel, pastoor Hartman van de Kerk van Asrijk en Lily Quench, die hem slechts een paar maanden geleden gekroond had. Het laatste lid van de raad, Koningin Draak, was te groot voor de zaal, dus zij zat op de binnenplaats van het kasteel en keek door een raam naar binnen. En in het koele lenteweer deed haar warme drakenadem dienst als verwarming.

Leopold keek naar het portret van zijn vader, Koning Alwin, dat hing op de plek waar vroeger een foto van de Zwarte Graaf had gehangen. Hij haalde diep adem en begon.

'Dames en heren,' zei hij, 'zoals jullie allemaal weten is het nu zes maanden geleden dat het leger van de Zwarte Graaf werd verslagen. Maar sinds die dag zijn koningin Angeline en ik bang dat de graaf weer terugkomt. Vorige week besloten we onze officiële Quench, hertogin Lily, te vragen in het geheim naar de Zwarte Bergen te gaan om uit te zoeken wat de graaf van plan is. Hertogin Lily, wil je verslag doen van je tocht?'

'Majesteit.' Lily stond op en maakte een buiging. 'Mede-raadsleden, ik ben bang dat wat Koningin Draak en ik ontdekt hebben nogal zorgwekkend is. Ten eerste zijn meer dan honderd Zwarte Brigades uit de bergen naar de grens met Asrijk getrokken. En ten tweede heeft de Zwarte Graaf zelf navraag gedaan naar wat hier gaande is.

Na de Slag om de Kerk van Asrijk, waarbij onze vijand juffrouw Maldiva gedood werd tijdens haar poging te ontsnappen, besloten de meeste leden van de Zwarte Brigade in Asrijk te blijven. Behalve één brigade, die in het Bosje van Asrijk op zoek was naar Koningin Draak. Toen Koningin Draak aan hen ontsnapte, zijn die teruggegaan naar het Zwarte Rijk.'

'Ze hebben de graaf het restant van Maldiva's sportauto gegeven,' onderbrak Koningin Draak. 'Die had ik bijna helemaal opgegeten. Blijkbaar heb ik een paar stukjes over het hoofd gezien. Ik had nogal haast,' voegde ze er verontschuldigend aan toe.

'Geeft niet, Koningin Draak,' zei Lily. 'Het was niet jouw schuld. In elk geval heeft de graaf de stukken van de auto meegenomen naar de Zwarte Citadel. Hij denkt blijkbaar dat Koningin Draak een soort geheim wapen van Koning Leopold is en hij vindt dat hij daar absoluut iets aan moet doen. Dus als we niet snel iets ondernemen, valt hij met Kerstmis Asrijkerstad binnen en zullen we allemaal gevangen worden genomen.'

'Ik ga nog liever dood,' zei koningin Angeline.

'Dat gaan we waarschijnlijk toch wel,' zei

koning Leopold somber. 'Asrijk heeft geen wapens en geen leger. Alleen maar een paar oude leden van de Zwarte Brigade en een paar paperclipmakers die niet weten hoe ze moeten vechten.'

'Het is vast niet zo erg, Hoogheid,' zei Jason bemoedigend. 'Als we een goed plan bedenken, kunnen we de graaf misschien aanvallen voordat hij ons aanvalt.'

'Koningin Angeline en ik zullen erover nadenken,' zei koning Leopold. 'Ondertussen is er nog een andere kwestie die we moeten behandelen. Heer Jason, wilt u alstublieft mevrouw Kristel Helder binnenlaten?'

'Ik laat mezelf wel binnen, dankjewel,' klonk een stem. De deur van de troonzaal knalde open en een mollige vrouw met scherpe tanden en paarse strepen in het haar stampte naar binnen. Ze liep recht op de koningin af. 'Angeline, weet je wel hoe lang je me hebt laten wachten? Staat je fraai, jongedame, om je moeder in de gang te laten staan als een paperclipmaker die wacht op de bus.'

Angeline keek ongemakkelijk. Leopold stond op en trok beleefd een stoel naar achteren. Maar Angeline's moeder ging onmiddellijk op zijn troon zitten.

'Dat is beter,' zei ze. 'Een beetje respect, meer vraag ik niet. En dat brengt me op de kwestie die ik wil bespreken. Het is hoog tijd dat ik gekroond wordt tot koningin-moeder.'

'Gekroond!' riep Angeline. 'Moeder, waar heeft u het over? U kunt niet gekroond worden! De koningin-moeder is de moeder van de koning, niet van de koningin.'

Kristel stopte haar voet onder haar chique japon. 'Blablabla,' zei ze. 'Wat is het verschil? Ik word niet goed van al die smoesjes. Iemand moet profiteren van deze krankzinnige situatie. Moet je jezelf toch eens zien. Koningin van Asrijk! Je zou gekleed moeten zijn in zijde en hermelijn en behangen met sieraden. Je had mooiere kleren toen je nog gewoon juffrouw Helder was.'

'Dat weet ik, mevrouw,' zei koning Leopold zachtjes. 'Maar weet u, Asrijk is op dit moment erg arm. Het zou niet eerlijk zijn als de

koning en koningin sieraden zouden dragen
terwijl sommige van hun onderdanen nauwelijks genoeg te eten hebben.'

'Pfoe!' zei Kristel. 'Paperclipmakers! Waar
maak je je druk om? Dat hebben wij nooit gedaan.' Ze stond op en draaide zich naar haar
dochter. 'Ik waarschuw je, Angeline. Ik wil
een kroon en een ceremonie en als ik die niet
krijg, krijg jij daar spijt van. En wat mij betreft
is die echtgenoot van jou een lachertje. Koning
Leopold! Wat een sukkel. Wij Helders hadden
het een stuk beter onder de Zwarte Graaf.'

Ze verliet de zaal en even was iedereen doodstil. Het gezicht van koningin Angeline was
spierwit, maar haar neus werd rood en ze zocht
snel een zakdoek. Koning Leopold pakte haar
hand en kneep erin.

'Dames en heren,' zei hij, 'ik denk dat we
deze vergadering beter kunnen sluiten.'

De Koninklijke Bibliotheek zat in de zuide-
lijke toren van kasteel Asrijk. Het was een gro-

te ruimte met een hoog gewelfd plafond dat blauw en goud geschilderd was. Langs de witgekalkte muren stonden eindeloos veel kasten met boeken. Tevreden bezoekers zaten in stille hoekjes te lezen terwijl de bibliothecarissen vrolijk aan het werk waren. Maar zo ging het pas sinds kort. Tijdens de eerste invasie van de Zwarte Graaf was de bibliotheek in brand gestoken, en niet zo lang geleden had juffrouw Maldiva's Zwarte Garde de bibliotheek overhoop gehaald en bijna verwoest. Lily keek naar de stapel eeuwenoude boeken op de tafel voor haar en zuchtte. Koning Leopold had ze dan wel van de vernietiging weten te redden, maar er stond geen woord in over de blauwe lelie.

Er klonken voetstappen achter haar. 'Nog steeds op zoek?' vroeg Leopold.

Lily knikte. 'Het lijkt wel of de blauwe lelie nooit bestaan heeft,' zei ze. 'Maar dat kan niet, want we weten dat de Blusdruppels daarvan gemaakt worden. Als we maar konden vinden waar ze groeien, dan kunnen we net zo veel druppels maken als we willen. In oma's recept staat dat ze zowel tegen echt alles van metaal als tegen draken gebruikt kunnen worden, dus we kunnen ze vast ook gebruiken om de tanks van de Zwarte Graaf tegen te houden.'

'Dat zou inderdaad handig zijn,' zei Leopold. 'Maar, Lily, ik herinner me ineens iets dat je misschien kan helpen. Kom mee, dan laat ik je het zien.'

Leopold leidde Lily door een kleine deur en over een wenteltrap naar een kamer helemaal boven in de toren. Hij was niet veel groter dan haar eigen slaapkamer in het kasteel, en er stonden een bureau, een stoel, veel boeken-kasten en een zachte blauwe bank bij de open haard om lekker op te lezen.

'Dit is mijn eigen zitkamer,' zei Leopold en deed de deur dicht. 'Angeline en ik komen hier als we rust willen – en wanneer we de Histori-sche Kronieken van Asrijk willen raadplegen.' Terwijl hij dit zei, haalde hij een ketting met een sleutel van zijn nek en maakte een klein kastje in de muur open. Lily zag dat er een aan-tal in leer gebonden boeken, een gouden doos en een gevouwen stuk perkament in lagen.

Leopold pakte de doos en ging naast Lily op de bank zitten. Hij drukte op een geëmailleerde bloem op het deksel en het slot sprong open. In de doos lag een stuk verbleekte blauwe zijde, geborduurd met het koninklijke motto Quench voor Asrijk, Asrijk voor Quench. Daaronder lag een klein, heel oud boek met een zwart omslag en een gebarsten rug.

'Dit is een van Asrijks grootste schatten,' zei Leopold plechtig. 'Het is het dagboek van je vijf keer bet-overgrootmoeder, Matilda Quench de Drakengesel, die ooit twee draken doodde met één schot van haar katapult. Maar je weet misschien niet waar dat gevecht plaatsvond.'

'Waar was dat dan?'

'In de Zwarte Bergen,' zei Leopold, 'in de vallei die de Drakenondergang wordt genoemd, voorbij de Zwarte Citadel. Matilda beschrijft dat hier allemaal. Kijk,' hij sloeg de brosse bladzijden voorzichtig om, 'hier zie je dat Matilda daar voor het eerst de blauwe lelie vond, het belangrijkste ingrediënt van de Blusdruppels.'

Hij gaf het boek aan Lily. Matilda's handschrift was groot en dik en het besloeg de hele bladzijde. Als ze opgewonden werd, prikte haar pen dwars door het papier en maakte hij grote inktvlekken. Toen Lily las hoe Matilda de draken gevolgd was naar hun nest in de bergen, begon het schubbige stukje huid op haar elleboog te tintelen. Maar precies op het moment dat Matilda door de bergen trok en de draken meelokte naar de Drakenondergang, werd het handschrift ineens een onleesbaar gekrabbel. Lily tuurde naar de pagina.

'Dit kan ik niet lezen. Wat schrijft ze hier?'

'Dat weet ik niet zeker,' zei Leopold. 'Aan het begin staat er iets over gevaar en een gouden kind. En hier staat beslist 'botten'. Matilda schrijft dat ze de blauwe lelie gevonden heeft op een plek waar botten liggen. En op de volgende pagina staat een gek tekeningetje dat lijkt op een tand met een gat erin. Daarna wordt het weer leesbaar. Kijk, hier schrijft ze over het grote gevecht met de tweelingdraken.'

Maar Lily was niet geïnteresseerd in Matilda's gevecht. De tijd dat de Quenches drakendoders waren, was voorbij. Nu hadden ze andere, nog gevaarlijkere vijanden tegen wie ze moesten strijden. Ze legde het boek neer en stond op.

Ver weg, bij haar geliefde huisje op het eiland Skane, stonden de appelbomen in bloei en kwamen de bollen uit die ze afgelopen herfst geplant had. De schapen zouden nu lammetjes hebben. Maar hoe graag ze ook terug wilde vliegen om daarvan te genieten, als een Quench had ze twee huizen. Ze hoorde ook thuis in Asrijk. En als een Quench moest ze alles doen wat ze kon om de Zwarte Graaf tegen te houden.

'Majesteit,' zei ze, 'dit is een taak voor uw officiële Quench, vindt u niet?'

Leopold knikte. 'Ik denk dat hiervoor moed en sluwheid nodig zijn, net als de Quenches vroeger.'

'Dan zullen Koningin Draak en ik teruggaan naar de Zwarte Bergen,' zei Lily. 'We zullen de blauwe lelie vinden en, als we kunnen, voorkomen dat de Zwarte Graaf Asrijk binnenvalt. Asrijk zal veilig zijn. Dat beloof ik u, Majesteit, als laatste van de Quenches.'

3

Lisa's geheim

Lily sprak met niemand over haar nieuwe expeditie. Zij en Leopold vonden het beter om dit nog even geheim te houden, zelfs voor Koningin Draak en Angeline. De weken erna gingen ze door met hun onderzoek in de Koninklijke Bibliotheek; ze lazen elk oud boek over de Zwarte Bergen dat ze konden vinden en ze schreven de bladzijden uit Matilda's dagboek zo goed mogelijk over. Ze vonden een kaart van het Zwarte Rijk uit de tijd dat juffrouw Maldiva en kapitein Zots namens de graaf over Asrijk geheerst hadden. Toen vond Lily een nog oudere kaart, waarop stond hoe de dingen waren geweest voor het ontstaan van het Zwarte Rijk.

'Jemig,' zei ze terwijl ze met haar handen over het oude perkament streek, 'moet je al die kleine landjes zien! Van de meeste heb ik nog nooit gehoord!'

'Dat komt omdat het Zwarte Rijk ze heeft opgeslokt,' zei Leopold. 'Ooit hadden ze allemaal hun eigen koningen, koninginnen en regeringen. De Zwarte Graaf heeft ze allemaal veroverd.'

'Wat verschrikkelijk.' Lily moest denken aan de paperclipfabriek die zijn rook over Asrijkerstad had uitgebraakt, en de Zwarte Garde die de burgers had geterroriseerd. Ze had er nooit bij stilgestaan hoeveel andere plaatsen hetzelfde hadden doorgemaakt. Bij de gedachte dat zij misschien kon helpen, begon haar elleboog hevig te tintelen. Voor het eerst voelde ze opwinding bij de gedachte aan haar missie.

Die nacht ging Lily terug naar het huisje van Ursula, maar ze kon niet slapen. Ze deed haar raam open, zodat ze de bloemen in de Botanische Tuin rook, en trok de kist met Drakendodersbenodigdheden van haar grootmoeder onder het bed vandaan. De kist bevatte alles wat er over was van de magische Drakendo- dersuitrusting van haar familie, waaronder de kleine houten doos waarin ooit Ursula's kost- bare voorraad blauwe lelieblaadjes en Blus- druppels had gezeten. Een paar maanden eerder was Lily zelf de druppels kwijtgeraakt toen kapitein Zots en juffrouw Maldiva haar hadden gedwongen met Koningin Draak te vechten bij de paperclipfabriek. Ze had ze uit pure angst laten vallen in een berg schroot van de fabriek. Daar baalde ze enorm van, maar er was niets meer aan te doen.

Lily sloeg Ursula's blauwgroene lapjesde- ken om haar schouders en begon te snuffelen tussen de papieren op de bodem van de kist. Er waren aantekeningen over wapens en rei- zen, foto's van de bruiloft van haar ouders en van haar grootmoeder met koning Alwin, en een stapel brieven geschreven door verschil- lende generaties Quenches. Lily las ze voor de honderdduizendste keer. Er waren rekeningen voor harnassen, fanmail voor Jonas Quench

van verliefde prinsessen, en verzoeken uit verre landen om draken te doden. Er was zelfs
een liefdesbrief van haar grootmoeder aan haar
grootvader waar Lily van moest blozen. Maar
nergens werd er gerept van de blauwe lelie, en
uiteindelijk raapte Lily de brieven bij elkaar en
gooide ze terug in de kist. Een ervan bleef ha-
ken in de versleten voering en de dunne stof
scheurde.

'Verdorie.' Lily trok de brief eruit. Toen pas
zag ze dat er nog iets achter de stof zat. Het
was een bruin notitieboekje waarvan het kaft
gescheurd en gevlekt was, alsof het in de regen
gelegen had. Lily viste het voorzichtig uit de
kist. Ze sloeg het open en daar, in dikke letters
op het schutblad, stond de naam van de eigenaar:

Lisa

Opeens begonnen de schubben op Lily's elleboog harder te tintelen dan ze ooit gedaan
hadden. Ze wist meteen dat dit notitieboekje
van haar moeder geweest was, Lisa Quench-

Boonstaak, die ooit in de Botanische Tuin van Asrijk gewerkt had. Lily bladerde door het boekje. Het stond vol met aantekeningen over het snoeien van rozen en planten van bollen, maar na tien bladzijden was er een vies los papiertje met watervlekken in het boekje gestopt. Lily las het een paar keer over. Toen stopte ze het opgewonden in de zak van haar badjas en zocht in haar kast naar haar zaklantaarn.

Een paar minuten later rende Lily door de Botanische Tuin naar het Asrijker Drakenhuis. Toen ze daar aankwam, walmde er net een wolk zwavelige rook naar buiten, als bij een babyvulkaan. Door de spleten van de muren glinsterden vonken en van binnen kwam het geluid van drakerig gesnurk. Lily liet het licht van haar zaklantaarn op het koperen naamplaatje schijnen, *Sinhara Vuurzon, Koningin Draak – privé, geen toegang,* en klopte hard op het metaal.

'Koningin Draak? Ik ben het, Lily. Ben je wakker?'

Het gesnurk stopte even en er klonk een luide gaap waarbij er een hete wolk rook uit de ingang kolkte. Lily kuchte en wapperde met haar handen voor haar gezicht. Ze was natuurlijk niet zo dom om onuitgenodigd naar binnen te gaan, want dan vroeg je erom vertrapt te worden.

'Koningin Draak? Ik ben het, Lily.'

Dit keer zei een slaperige stem dat ze binnen mocht komen. Lily haalde diep adem en liep naar binnen.

Naar drakenmaatstaven was het Asrijker Drakenhuis erg comfortabel. Het had een hoog rond dak met een schoorsteen en een slaapplek waar vroeger de oude ovenhal van de paperclipfabriek was. Tegen de muren lagen nette stapels paperclips die nog waren overgebleven, gesorteerd op grootte en smaak. Net als andere

draken at Koningin Draak metaal en ze kreeg
's nachts nog wel eens honger.

'Hallo Lily.' Koningin Draak kwam overeind en wreef in haar ogen. De gele bollen
gloeiden zachtjes in het donker. 'Wat kan ik
voor je doen? Is het niet een beetje laat om nog
rond te lopen?'

'Ik heb net iets belangrijks ontdekt,' zei Lily
en ineens stopte ze. In haar opwinding was ze
vergeten dat Koningin Draak niets wist over
de blauwe lelie of de Blusdruppels en dat ze
een zoektocht naar de blauwe lelie misschien
helemaal niet zo'n goed idee zou vinden. Maar
nu kon ze niet meer terug. Ze zocht in haar
zak en viste haar moeders notitieboekje eruit.

'Koningin Draak, heb je ooit van de blauwe
lelie gehoord?'

'N-nee,' zei Koningin Draak, 'dat geloof ik
niet.'

'Dat is een plantje,' zei Lily, 'een heel zeld-
zaam plantje. Het werd ontdekt door mijn
voorouder Matilda Quench de Drakengesel –
je weet wel, die volgens jou pukkels had? Het

groeit alleen in de Zwarte Bergen, op één bepaalde plek.'

'O,' zei Koningin Draak achterdochtig. 'En wat deed die oude kraterkop ermee?'

Lily beet op haar lip. 'Ik ben bang dat ze hem gebruikte om… Blusdruppels te maken.'

Even zei Koningin Draak helemaal niets. Ze werd, voor zover mogelijk, nog donkerder rood dan normaal. Toen zei ze met verstikte stem: 'Ik dacht dat je mijn vriendin was.'

'Dat ben ik ook, Koningin Draak!' Lily rende naar voren en klauterde langs de schubbige poot van Koningin Draak omhoog. Het was onmogelijk om je armen om willekeurig welk stuk van haar enorme lichaam te slaan, dus knielde Lily en legde haar wang tegen de schubben. 'Dat ben ik ook! Ik zou nooit Blusdruppels op jou gebruiken! Maar de Zwarte Graaf wil Asrijk weer binnenvallen, en Leopold en ik hopen dat de druppels misschien werken tegen de Zwarte Brigades. Zie je dit notitieboekje? Het is geschreven door mijn moeder. Zij zegt dat ze blauwe lelies kweekte uit een bol die mijn grootmoeder mee terugbracht uit het Dal van de Drakenondergang...'

'Nee!' Koningin Draak begon te trillen als een aardbeving en Lily viel van haar voorpoot op de betonnen vloer. 'Niet daar! Daar ga ik echt niet naartoe!'

'Maar, Koningin Draak, waarom niet?' riep Lily. 'Het is gewoon een Quench-expeditie. We hebben samen voor hetere vuren gestaan.'

'Niets is erger dan de Drakenondergang,' zei Koningin Draak. 'Ik doe het niet, echt niet!' Terwijl ze dit zei, wiebelde ze angstig van de ene poot op de andere en haar enorme staart sloeg een roffel op de vloer. Toen rende ze, voor Lily nog een woord kon zeggen, het Draken-huis uit, klapwiekte met haar vleugels en vloog weg.

Ver weg, in de Zwarte Bergen, werd Gordon wakker in de kille duisternis van de vroege ochtend. Het vuur in zijn slaapkamer was bij-na uit en buiten viel een beetje sneeuw. Dat kon Gordon niets schelen. Hij sprong uit bed en pakte opgewonden zijn kleren. Gisteravond had zijn vader beloofd vandaag de hele dag met hem door te brengen. Het zou de beste verjaardag worden die hij ooit had gehad.

In de zitkamer hadden de bedienden zijn ontbijt al klaargezet en daarnaast zijn cadeaus. De meeste kwamen van mensen die een wit voetje wilden halen bij de zoon van de Zwarte Graaf, maar er was ook een zelfgebreide rode trui van Julia, en een prachtige riem met dolk van zijn oudtante Lucy, die oud en doof was en te veel last had van de kou om vaak langs te komen. Gordon gespte hem om. Toen ging de deur open en kwam zijn vader binnen, gekleed in zijn gebruikelijke, eenvoudige uniform met een dikke overjas, klaar om naar buiten te gaan.

'Ben je klaar met je ontbijt?' vroeg hij, en Gordon knikte, hoewel hij bijna geen hap gegeten had.

'Trek je jas dan maar aan,' zei de graaf. 'Er is iets dat ik je wil laten zien.'

Gordon trok zijn jas aan. Ze liepen samen de trap af, langs de deur die naar de binnenplaats leidde, naar de catacomben onder de citadel. Toen liepen ze door een gang naar een kleine garage die Gordon nog nooit had gezien. De graaf maakte de deur met een sleutel open en deed het licht aan.

Midden in de garage stond een motorfiets. Het was geen scooter of crossmotor, zoals die waarop Gordon wel eens gereden had, maar een echte racemotor: glimmend zwart met een verchroomde motor en stuur, sierlijke uitlaten en een instrumentenpaneel vol wijzertjes. De motor rook naar verse olie, rubber en nieuw leer. Bovendien had hij een zijspan in de vorm van een raket.

'Wat vind je ervan?' vroeg de graaf. 'Vind je hem mooi?'

'Hij is prachtig,' zuchtte Gordon.

'Hij is voor jou,' zei de graaf simpelweg en hij gaf Gordon het sleuteltje.

Even was Gordon zo verrast dat hij niet wist wat hij moest zeggen. Hij kon niet geloven dat deze supergave machine echt van hem was. Aan een van de handgrepen was met rood lint een enveloppe geknoopt. Zonder nadenken maakte hij hem los en scheurde hem open. Er zat een reservesleutel en een verjaardagskaartje van zijn vader in. Gordon kreeg een brok in zijn keel. Hij streek met zijn vingers over het glanzende metaal.

'Dankjewel.' Gordon kreeg de woorden er bijna niet uit, maar de graaf glimlachte alleen maar. Hij haalde de zijspan eraf, pakte twee helmen van een plank en gooide er een naar zijn zoon.

'Zin in een tochtje?'

Gordon knikte. Zijn vader klom op de motor en startte hem.

'Vandaag rijd ik, als je het niet erg vindt,' zei hij. 'Er is iets dat ik je graag wil laten zien. Bovendien heb je nog niet eerder op bergweggetjes gereden. Je kunt beter eerst wat oefenen voordat je dat doet.'

Hij zette zijn helm op en Gordon sprong achterop en gaf de sleutel terug. De graaf deed de

garagedeur open en gaf brullend gas. Uitlaatgassen vulden de garage en de motor schoot
als een raket naar buiten. Het lawaai van de
motor sneed door de ijskoude lucht. Op dat
moment dacht Gordon dat er niemand geluk-
kiger was dan hijzelf.

4
Gordons verjaardag

Gordon had geen flauw idee waar zijn vader hem mee naartoe nam. Hij genoot gewoon van het ritje, keek naar het landschap en verheugde zich op het uitje. De motor had een verwarmd zadel en zijn leren jas en handschoenen waren met bont gevoerd. Maar het was nog steeds onvoorstelbaar koud en de bergwind beukte tegen hem aan tot elke spier in zijn lichaam pijn deed.

De motor schoot loeiend door de lage brede tunnel die onder de Drakennek doorliep. De graaf sloeg af bij een zijweg. Na ongeveer tien minuten kwamen ze bij een vierkant grijs ge- bouw dat met prikkeldraad was omgeven. Bij

de aanblik van de fabriek was Gordon teleurgesteld, maar dat liet hij natuurlijk niet zien.
Toen ze de motor neerzetten op de parkeer-
plaats voor de directeur kwam er een man met
een grijze jas het bordes van het hoofdgebouw
af lopen.

'Welkom, Eminentie. De test zal over een
halfuur plaatsvinden.' Hij nam ze mee naar
binnen en bood ze iets warms te drinken aan
uit een automaat. Terwijl Gordon zijn warme
chocolademelk dronk, stelde de graaf allemaal
vragen over producties en schema's en of iets
tegen de zomer klaar zou zijn.

'Ah, u wilt een eskader voor de campagne
tegen Asrijk,' zei de directeur van de fabriek.

De graaf schudde zijn hoofd. 'Nee, ik wil drie
eskaders. Vier zou nog beter zijn.' Hij keek op
zijn horloge. 'Kom, Gordon. We kunnen nog
net even de fabriek bekijken.'

'Uwe Eminentie.' De directeur boog, maar
Gordon zag dat hij diepongelukkig keek.

Samen liepen ze door een deur naar de enorme fabriekshal. Die stond vol metalen stellin-

en de Zwarte Bergen

gen, katrollen en machines. Een legertje arbeiders stond rond een tiental glimmende metalen objecten en was druk aan het schroeven en
lassen.

'Zijn dat tanks?' vroeg Gordon aan zijn vader,
maar de graaf schudde zijn hoofd. Hij klom
via een trap op een luchtbrug en leunde over de
reling; belangstellend keek hij naar het werk
onder hem.

Nieuwsgierig volgde Gordon hem. De directeur had hem oorbeschermers gegeven, maar
het lawaai was nog altijd oorverdovend. Bovendien liepen er zo veel arbeiders over de
werkvloer dat bijna niet te zien was wat er precies gebouwd werd. Sommige van de objecten
waren nauwelijks meer dan metalen skeletten,
maar een had iets dat op een kop leek en een
ander een soort vreemde, puntige staart. In een
ander deel van de hal was een tweede groep
druk bezig met dingen die leken op enorme
vleermuisvleugels. Gordon wilde de directeur
vragen wat dat waren, maar net toen hij zijn
mond opendeed, begon er een sirene te loeien

en zei iemand iets onverstaanbaars door een luidspreker.

'Tijd voor de test, Uwe Eminentie,' zei de directeur en hij leidde de graaf en Gordon over een tweede trap en door een deur naar het dak van de fabriek. Ze liepen naar de rand en bleven daar staan wachten en kijken.

Na een minuut of twee hoorde Gordon iets. Er klonk een metalen geratel alsof er een garagedeur openging en een zacht gezoem dat langzaam sneller werd. Gordon keek rond om te zien waar het geluid vandaan kwam. Opeens kwam er een walm stinkende uitlaatgassen naar buiten en schoot er een zwart ding ter grootte van een kleine tank uit het gebouw onder hen; het flapperde met zijn vleugels en had een staart van vuur.

'Wow!' Gordon was zo opgewonden dat hij bijna van het dak viel. 'Het vliegt! Het is fantastisch! Vader, mag ik ook een ritje maken?'

'Misschien later, als we meer testvluchten hebben gemaakt. Maar nu niet.' De graaf keek geamuseerd. 'Dat ding heet een helidraak.

Vind je hem mooi?'

'Ik vind hem waanzinnig.' Terwijl Gordon keek, vouwde de machine zijn vleugels dicht en dook naar beneden. Hij liet een bom vallen, die ontplofte, en schoot met een machinegeweer op een hangend doelwit. Toen zoemde hij over hen heen – hij kwam zo dichtbij dat Gordon de rode lichten kon zien die zijn ogen vormden –, vloog een rondje en kwam terug om te landen.

De directeur boog en nam afscheid. Toen die weer binnen was, draaide de graaf zich naar Gordon.

'Gordon,' zei hij ernstig, 'ik heb je meegenomen naar de helidraak, omdat er belangrijke dingen gebeuren. Je weet van de opstand in Asrijk. Die had niet mogen slagen. Dat is toch gebeurd omdat de rebellen daar een wapen in handen hadden dat zo groot en krachtig was, dat de Zwarte Garde er niet tegen bestand was.'

'Een vliegend wapen,' zei Gordon. Hij herinnerde zich het wezen dat hij een paar weken eerder over de citadel had zien vliegen en vroeg zich ongemakkelijk af of hij er iets over had moeten zeggen. Maar zijn vader praatte al verder.

'Ene Leopold heeft het lef gehad zichzelf tot koning van Asrijk uit te roepen. Hij heeft het fout. Wíj zijn de heersers van Asrijk, Gordon, en we kunnen niet toestaan dat mensen tegen ons in opstand komen. Leopold, zijn vrienden en zijn stad zullen allemaal verwoest worden en de helidraken zijn het wapen waarmee we dat gaan doen.' De graaf keek liefdevol naar het kapotte doelwit dat de helidraak net beschoten had. 'Op een dag, als je zelf Zwarte Graaf bent, zul je begrijpen waarom dit moet gebeuren.'

'Ja, vader,' knikte Gordon. Maar van binnen voelde hij iets kouds. Om zijn rare gevoel te verbergen, vroeg hij: 'Waarom heten ze helidraken?'

'Ze zijn genoemd naar wezens die lang geleden in deze bergen geleefd zouden hebben,' zei de graaf. 'Heb je gehoord van de Drakenon-

dergang? Eeuwen geleden zouden daar vuurspuwende draken op leven en dood gevochten
hebben. Natuurlijk zijn die verhalen allemaal
onzin.'

'O.'

Er klonk een enorm geratel onder hen toen
de deur van de hangar weer naar beneden ging,
en even was praten onmogelijk. Toen hoorde
Gordon de stem van de directeur door de luid-
sprekers, die het einde van de test afkondigde.
Hij en zijn vader liepen weer de fabriek in.

Gordon was opgelucht. Hij wilde zijn vader
niet tegenspreken en hij wilde ook niet door-
gaan met het gesprek. Hij was te veel in de
war. Hij wist alleen dat het ding dat hij gezien
had vanuit zijn slaapkamer op die koude avond
toen zijn vader terugkwam, nu een naam had.

Het was een draak.

De volgende ochtend vertrok Gordons vader
opnieuw naar de grens met Asrijk om de invasie voor te bereiden. Gordons leven volgde

weer het vaste ritme van school, huiswerk en de Jongensbrigade. Elke dag nadat de Zwarte Garde klaar was met oefenen, verzamelden hij en de andere jongens van zijn leeftijd zich op de binnenplaats van de citadel voor twee uur zware training in de ijzige kou. Toen Gordon zijn opdrachten doornam, zag hij tot zijn af- grijzen dat er voor vandaag een hindernisbaan op het programma stond. Daar had hij een bloedhekel aan, niet alleen omdat hij er niet zo goed in was, maar ook omdat hij als aan- voerder van de groep als eerste moest.

'Aantreden. Geef acht!' riep Gordon en de jongens stelden zich netjes op en klapten hun hielen tegen elkaar. Terwijl zij toekeken, sprintte Gordon naar de startlijn. Twee jon- gens, Jacobsen en Hendriks, hadden de baan klaargemaakt en zijn hart zonk hem in de schoenen toen hij zag hoe moeilijk die was. Maar hij kon er niet onderuit. Zijn luitenant hief het startpistool al op en degene die de tijd bijhield had zijn vinger al op de stopwatch.

'Op je plaats… af!'

Gordon rende recht op de horden af. Hij schopte er maar twee omver, liep toen over het grootste deel van de houten evenwichtsbalk voordat hij eraf viel en kroop door een tunnel van oude vrachtautobanden. Voor hem hing een net en aan de andere kant bevond zich een waterhindernis met een touw erboven. Hij raakte al aardig buiten adem, maar hij kon alleen maar denken wat voor een afgang het zou zijn als hij de finish niet haalde voordat de bel ging.

Gordon klauterde over het net en rende naar de waterhindernis. Hij besefte te laat dat het touw een stuk verder naar achteren hing dan normaal. Met zijn laatste restje energie sprong hij… en wist het touw nog net met twee handen te grijpen en zichzelf naar voren te slingeren.

Wat er toen gebeurde kon hij achteraf niet goed uitleggen. Hij kon zich nog herinneren dat het touw plotseling zwiepte waardoor hij woest werd rondgeslingerd, als een spin aan zijn draad. En dat hij een scherpe pijnscheut in zijn linkerschouder voelde. Toen volgde een schok door het touw en viel hij. Daarna werd alles zwart.

5

Julia

Toen Gordon wakker werd, lag hij in bed met een verband om zijn hoofd. Twee gezichten keken op hem neer. Ze stonden beide ernstig, maar toen Gordon opkeek, kwam er op een ervan een glimlach.

'Je hebt een ernstig ongeluk gehad...' begon Julia te vertellen, maar generaal Sark onderbrak haar.

'Je hebt een ongeluk gehad,' zei hij kortaf. 'Een ontwrichte schouder en een lichte hersenschudding, volgens de dokter hier. Als je naar rechts was gevallen, was je met je kop op het beton terechtgekomen en dood geweest.' De bleke ogen van de generaal keken Gordon afkeurend aan. 'Je vader zal niet erg blij zijn als hij hoort wat je gedaan hebt.'

'Maar ik heb helemaal niets gedaan!' Gordon ging moeizaam rechtop zitten. Een pijnscheut schoot door zijn hoofd en hij werd kotsmisselijk. Julia schudde haar hoofd en dwong hem weer te gaan liggen.

'Niet bewegen. Straks doe je je nog pijn.'

'Uwe Excellentie zou geen smoesjes moeten verzinnen,' zei generaal Sark. 'U had de baan moeten verkennen voordat u begon. De jongens die hem hebben klaargemaakt, krijgen natuurlijk stokslagen. U zult zelf op hun straf moeten toezien.' De generaal knikte naar Julia. 'Zorg goed voor hem, dokter. Ik kom later wel kijken hoe het met hem gaat.'

Gordon keek hem hulpeloos na.

'Zo is het niet gegaan!' zei hij. 'Niemand controleert ooit de baan voordat ze beginnen. Dat moeten de mensen doen die hem klaarzetten. Echt waar, het was niet mijn schuld!'

Julia ging naast zijn bed zitten. 'Ik geloof je,' zei ze. 'Maar ik zou er niets over zeggen als ik jou was. Je vrienden krijgen al stokslagen. Als bekend wordt dat het ongeluk hun schuld was, zullen ze nog veel, veel erger gestraft worden.'

Het zijn mijn vrienden niet. Gordon dacht aan Jacobsen en Hendriks, die hij niet erg aardig vond, en wilde dat ook zeggen. Maar de woorden bleven in zijn keel steken. Het zou vreemd overkomen wanneer hij hardop zou zeggen dat hij geen vrienden had behalve Julia.

Alsof ze zijn gedachten kon lezen, pakte Julia zijn hand en hield hem vast. Gordon vond dat fijn. Julia was er altijd wanneer hij haar nodig had. Hij kon zich niet herinneren dat ze er niet was geweest. Toen hij een baby was, had er tijdens de koudste winter die de Zwarte Bergen ooit gekend hadden, een verschrikkelijke ziekte geheerst in het Dal van de Citadel. Zijn moeder en honderden anderen waren eraan overleden, en Gordon zelf was zo ziek geweest dat geen van zijn vaders artsen hem kon helpen. Uiteindelijk herinnerde iemand zich dat er bij de nieuwe groep gevangenen in de mijnen een dokter zat. De Zwarte Graaf had haar laten

halen en Julia had Gordons leven gered.

Vanaf dat moment was Julia de lijfarts van de graaf. Sommige mensen zeiden dat zij de enige was die de graaf de waarheid durfde te zeggen, en hoewel ze hem er nooit van had kunnen overtuigen de gevangenen in de mijnen vrij te laten, deed hij soms wel wat ze vroeg. Velen haatten haar en velen waren bang voor haar macht, maar de mijnwerkers en de armen waren dol op haar. Gordon wist dat ze nog altijd naar de mijnwerkerskampen ging om de mensen te helpen.

Nu keek Julia over haar schouder, alsof ze bang was dat ze werden afgeluisterd. Ze leunde naar Gordon en zei zachtjes: 'Gordon, dit is belangrijk. Ik wil dat je me precies vertelt wat er gebeurd is.'

Gordon fronste zijn wenkbrauwen en probeerde het zich te herinneren. Ineens wist hij het weer: hoe de balk op de verkeerde plek had gestaan en het touw was gebroken. Hij vertelde alles aan Julia en haar blik werd steeds serieuzer.

Toen hij eindelijk klaar was, zei ze: 'Je hebt gelijk, Gordon. Het ongeluk was niet jouw schuld. Maar ik vraag me af hoe de jongens die alles klaar hebben gezet dat zo hadden kunnen doen, tenzij ze het met opzet gedaan hebben.'

Gordons hart begon sneller te bonzen. 'Wat bedoel je?' vroeg hij.

'Ik bedoel,' zei Julia, 'dat iemand zojuist geprobeerd heeft je te vermoorden. En als je niet goed oppast, zullen ze het weer proberen.'

De maan hing laag boven de horizon en de sterren blonken in de wolkeloze lucht. Lily, die samen met koning Leopold en koningin Angeline op de muren van kasteel Asrijk stond, dacht dat ze de sterren nog nooit zo helder had zien stralen boven Asrijkerstad. Ze rilde bij de herinnering aan de paperclipfabriek die altijd een deken van smog had uitgebraakt en aan het vuur van de ovens dat de nachthemel oranje had doen oplichten. In het westen dook de maan achter de verre bergen en verdween.

'Denk je dat Koningin Draak zal komen?' vroeg koningin Angeline.

'Ze heeft gezegd van wel,' zei Lily. 'Maar het kostte heel wat moeite om haar over te halen.' Al het Quench-bloed leek uit haar aderen gestroomd te zijn en hoewel ze door haar vliegeniersjas heen steeds over haar elleboog wreef, wilde het stukje drakenhuid maar niet gaan tintelen.

Maar eindelijk verscheen er een zwarte schaduw als van een enorme vleermuis in de donkere lucht. Ze kwam snel dichterbij, scheerde over hun hoofden en vloog een rondje voor ze op de muren landde. Lily slaakte een zucht van verlichting en rende naar voren om haar vriendin te begroeten.

'Koningin Draak! Ik dacht al dat je niet meer zou komen!'

'Dat had ik toch beloofd!' snoof Koningin Draak.

Lily wreef met haar wang langs de schubbige donkerrode huid. 'Sorry,' zei ze. 'Ik ben ook een beetje zenuwachtig, geloof ik.' Terwijl ze dit zei, klonk het geluid van voetstappen en verschenen er nog twee mensen. Het waren meneer Hartman en zijn assistent, meneer Zots.

'Koninklijke Hoogheden, Lily, als jullie het niet erg vinden, wilde ik graag met je mee,' zei meneer Hartman. Lily zag tot haar verrassing dat hij gekleed was in een versleten leren jas en laarzen gevoerd met schapenwol. Hij droeg een leren vliegenierspet en -bril, en meneer Zots droeg een volgepakte rugzak waar nog een koekenpan aan bungelde. 'Het is ver en gevaarlijk, en ik dacht dat ik misschien kon helpen.'

'Wacht even,' zei Leopold. 'Dit is Lily's tocht, niet de jouwe. En bovendien, wie past er op de

Kerk van Asrijk als jij weg bent?'

'Dat doe ik,' gromde meneer Zots, en Leopold en Angeline keken verschrikt. Kapitein Zots was ooit de gouverneur van de Zwarte Graaf geweest in Asrijk. Hij was overgelopen nadat zijn assistente, juffrouw Maldiva, hem tewerk had gesteld in de paperclipfabriek. Maar hoewel meneer Hartman iedereen ervan verzekerd had dat deze ervaring Zots echt veranderd had, voelde niemand zich bij hem op zijn gemak. Lily was nog steeds behoorlijk bang voor hem. Ze was nooit vergeten hoe de kapitein en zijn Zwarte Garde op een dag haar huis binnengedrongen waren en haar hadden meegesleept naar de paperclipfabriek om Koningin Draak te doden.

'Ik vertrouw Willibrord,' zei meneer Hartman en hij zette zijn pet op zijn hoofd. 'Geef me die rugzak eens, Willibrord?'

'Nee,' zei Angeline scherp, 'wacht eens even. Niemand heeft gezegd dat je mee mocht. Vind je niet dat je dat eerst even moet vragen? Lily? Koningin Draak? Wat vinden jullie hiervan?'

Lily keek naar Koningin Draak, maar haar ogen waren donker en ze leek in haar eigen, bange wereldje te zitten. Lily voelde een scheut van angst. Tot nog toe had ze zich altijd veilig gevoeld met Koningin Draak aan haar zijde. Maar deze angst voor de Drakenondergang was iets nieuws. Voor het eerst bedacht Lily dat het misschien een goed idee zou zijn als er iemand anders meeging.

'Dank u, meneer Hartman. Koningin Draak en ik vinden het fijn als u meegaat,' zei ze dankbaar, en meneer Hartman glimlachte. Hij bond zijn rugzak vast naast die van Lily op de nek van Koningin Draak en bukte zich om Lily een zetje te geven. En nadat ze afscheid hadden genomen, steeg Koningin Draak op en vloog weg naar het westen.

Kristel Helder was chagrijnig en heel kasteel Asrijk wist dat. Sinds de raadsvergadering had ze zich absoluut onmogelijk gemaakt. Ze had woedeaanvallen, maakte dingen kapot, sloeg de bedienden en sloot zich ten slotte op in haar slaapkamer. Dagenlang klonk haar geschreeuw en geschop door het kasteel, maar Angeline had tegen iedereen gezegd dat ze haar moesten negeren, en uiteindelijk had Kristel zelf geen puf meer voor haar woedeaanvallen.

Vanaf dat moment had niemand haar meer gezien. Maar haar favoriete liedje was wel keer op keer op het hoogste volume te horen. En hoewel niemand het erg vond om dit liedje één of zelfs twee keer te horen, begon het na de vierhonderdnegenenzeventigste keer iedereen de keel uit te hangen.

'Wordt ze dat nummer zelf niet eens zat?' vroeg Leopold tijdens het eten. Het liedje eindigde en het was even stil, maar toen begon het weer van voor af aan.

Angeline beet nadenkend in haar worstje. 'Niemand is zo koppig als moeder als ze haar zin niet krijgt. Ze probeert ons gewoon af te matten. We kunnen maar het beste doen alsof ze niet bestaat. Bovendien, durf jíj haar te vragen om het uit te zetten?'

Dat durfde Leopold niet, of iemand anders. En omdat alle bedienden een hekel aan haar hadden, lieten ze Kristel in haar sop gaar koken. Niemand nam de moeite om haar te roepen voor het eten. Maar omdat haar kamer vol stond met bonbons, koekjes, blikjes paté en potjes kaviaar, maakte dat niet uit. Kristel had beter te eten dan wie dan ook in Asrijk.

Maar de ochtend nadat Lily en Koningin Draak vertrokken waren, gebeurde er iets: het liedje bleef hangen.

Angeline was de eerste die het opviel. Ze kwam overeind in bed, wakker geworden van de herrie, en porde haar echtgenoot tussen de ribben.

'Leopold, luister eens.'

Leopold deed zijn ogen open. En ja, in de kamer ernaast klonk het alsof de zangeres de hik had. Hij en Angeline keken elkaar aan en sprongen toen uit bed. Ze renden door de gang naar Kristels kamer.

'Moeder?' riep Angeline. 'Móéder!'

Er kwam geen antwoord. Angeline ging terug naar de koninklijke slaapkamer en pakte de scepter uit zijn houder bij het voeteneinde. Ooit had Asrijk een zilveren scepter gehad, bezet met robijnen. Helaas was die verdwenen tijdens de invasie van de Zwarte Graaf, en Leopold moest het doen met een oude staaf uit de paperclipfabriek die goudkleurig was geverfd. Omdat hij van ijzer was, was hij erg hard. Toen Angeline er uit alle macht mee op de deur van Kristels kamer sloeg, ging het slot kapot en viel de grammofoon met een klap op de grond.

'Moeder, bent u daar binnen?' Angeline probeerde door het gat in de deur te kijken. Toen wurmde ze haar hand erdoor en schoof de grendel weg. 'O, nee!' riep ze hard.

De kamer was leeg. Kristel was verdwenen.

6

Tina's grote nieuws

Koningin Draak vloog stevig door in de donkere nacht. Met behulp van de sterren zette ze koers naar het westen. Lily en meneer Hartman zeiden niet veel. Praten was lastig met het lawaai van de wind en het geklapwiek van Koningin Draaks vleugels in hun oren. Bovendien hadden ze geen van beiden veel te vertellen. Af en toe vlogen ze over boerderijen met flonkerende lichtjes, wegen met straatlantaarns en stadjes die Koningin Draak bij naam kende. Maar over het algemeen waren er alleen de sterren om naar te kijken, totdat er wolken kwamen: toen zagen ze niets meer.

Uren later brak de ochtend aan met een rode

streep aan de oostelijke horizon, en Koningin Draak veranderde van koers en begon nu naar het noorden te vliegen. Ondanks het zonlicht en de warme draak onder hen, begon het verschrikkelijk koud te worden. Lily zette haar bril recht en wikkelde haar sjaals en vuurvaste mantel dichter om zich heen. Haar adem had ijskristallen in de stof gemaakt en het knisperde wanneer ze bewoog. Haar handen deden pijn in hun dikke leren handschoenen en haar voeten waren ondanks de warme laarzen zo koud dat ze hen bijna niet meer voelde. Het werd langzaam lichter en ineens zagen ze door een opening in de wolken een donkere vlek in de verte.

'Kijk,' wees ze. 'De Zwarte Bergen.'

Meneer Hartman volgde haar blik. 'Inderdaad,' zei hij zacht. Daarna zei hij geen woord meer tot ze op de richel boven de pas landden.

Leopold en Angeline zaten somber in de troonzaal. Op de tafel lag een net gedrukte

poster met een foto van Kristel erop. De tekst erboven luidde: *Vrouw vermist: BELONING.* Eronder stonden Kristels naam, haar beschrijving en hoe ze verdwenen was.

'Ik hoop dat moeder dit nooit zal zien,' zei Angeline. 'Ze zal de beloning ongetwijfeld te laag vinden en dus beledigd zijn.'

'Pech gehad,' zei Leopold. 'Meer kunnen we ons niet veroorloven en bovendien denk ik niet dat het zal werken. Als je het mij vraagt, is ze of ontvoerd of zelf weggelopen. Als ze is weggelopen, krijgen we vast snel een ansichtkaart uit een of ander duur vakantieoord en een stapel rekeningen, en als ze ontvoerd is, zullen we wel een verzoek om losgeld krijgen.' Hij zuchtte. 'Hoe dan ook, ik geloof niet dat onze schatkist dit aan kan.'

'Misschien komt ze vanzelf wel terug,' zei Angeline hoopvol.

Leopold haalde zijn schouders op.

Angeline rolde de poster op en beet op haar lip. Voor Leopold was de verdwijning van Kristel slechts een van de vele dingen waarover hij zich zorgen maakte. Maar Kristel was haar moeder en ze hield nog steeds van haar, wat andere mensen ook van haar vonden. Ze was bang dat er misschien iets ergs met haar was gebeurd.

Iemand klopte op de deur. Angeline legde de poster weg.

'Binnen.'

De deur ging open en meneer Zots kwam de kamer in. Hij had een klein muisbruin meisje bij zich. Ze had muisbruin haar en een smal gezichtje met daarop een bezorgde uitdrukking. Ze droeg een saaie blauwe jurk en had een verkreukelde papieren tas bij zich.

'Koninklijke Hoogheden,' gromde meneer Zots, 'dit is Tina. Zij werkt in het kantoor van de kerk. Ze beweert dat ze iets belangrijks te vertellen heeft, maar ze wil me niet zeggen wat het is.'

'Dat is niet waar,' zei Tina verontwaardigd. 'Ik heb nooit gezegd dat ik het u niet wilde vertellen. Ik heb alleen gezegd dat ik vind dat ik het eerst aan Hunne Majesteiten moet vertellen.'

'Dat is goed, Tina,' zei koning Leopold vriendelijk. 'Ga hier maar zitten. Hare Majesteit en ik zouden graag horen wat je te zeggen hebt.'

'Dank u wel, Majesteit.' Tina snifte zachtjes en trok een stoel bij. Ze deed de papieren tas open en haalde er een klein zwart boekje uit, het leek een beetje op een agenda, met een lusje op het omslag voor een potlood. Tina trok het potlood eruit en begon door het boekje te bladeren.

'Hé!' riep meneer Zots woedend. 'Dat is meneer Hartmans persoonlijke opschrijfboekje. Wat doe je daarmee, jij kleine engerd?'

'Ik ben geen engerd! Ik dacht dat het een adresboekje was totdat ik het opendeed,' antwoordde Tina boos. Ze gaf het boekje aan koning Leopold en tikte met haar vinger op een bladzijde. 'Kijk, Uwe Majesteit. Hier staat het zwart op wit. Data, tijden, alles. Meneer Hartman reist al jaren op en neer naar de Zwarte Bergen. Hij is een spion van de Zwarte Graaf!'

Angeline hapte naar adem.

'Een spion!' brulde Zots. 'Waar heb je het over, kind. Meneer Hartman? Een spion!'

Koning Leopold kromp in elkaar. 'Willibrord, doe alsjeblieft rustig.' Hij bladerde snel door het opschrijfboekje en zijn blik werd steeds grimmiger.

'Nee, ik doe niet rustig. Wat een flauwekul en lariekoek!' bulderde meneer Zots. Zijn gezicht werd almaar roder.

'Het is geen flauwekul en lariekoek! Het is de waarheid!' snauwde Tina.

'Als ik zeg dat het lariekoek is, dan is het lariekoek! Alsof de koning en koningin ook maar een woord van jou zouden geloven, jij vieze kleine paperclipmaker!'

Tina sprong overeind. 'Waag het niet mij paperclipmaker te noemen, smerig varken! Wie gelooft jou dan wel? Jij hebt jarenlang voor de Zwarte Graaf gewerkt en iedereen hier het leven onmogelijk gemaakt. Maar omdat je slim genoeg was om precies op tijd over te lopen, denk je dat je nog steeds de baas over iedereen kan spelen. Mooi niet, dus! De dingen hier zijn veranderd. Ik ben nog nooit van mijn leven zo gelukkig geweest sinds koning Leopold terug is. Ik haat de Zwarte Graaf. En ik zal alles doen wat ik kan om hem tegen te houden, zelfs als dat betekent dat ik meneer Hartman moet verraden aan de koning!' Toen barstte ze in tranen uit en rende weg.

In de troonzaal was het doodstil. Angeline en Leopold keken elkaar aan, toen pakte Angeline het opschrijfboekje en begon erin te lezen. Haar mondhoeken zakten langzaam naar beneden. Net als alle anderen vond Angeline meneer Hartman aardig en vertrouwde ze hem.

Net als Leopold dacht ze dat hij een goede en vriendelijke man was. Maar het boekje in haar hand vertelde een ander verhaal.

'Ik geloof haar niet,' zei meneer Zots. 'Het moet een vergissing zijn.'

'Het spijt me, Willibrord,' zei Leopold, 'maar ik geloof dat Tina gelijk heeft. Kijk maar in dit boekje. Al die bezoekjes aan de Zwarte Bergen; wat voor reden kan hij hebben gehad om daar naartoe te gaan?'

'Ik hoef dat boekje niet te zien,' zei meneer Zots. 'Ik weet dat meneer Hartman ons niet zou verraden. Er moet een andere verklaring voor zijn.'

'Maar wat zou het dan kunnen zijn, Willibrord?' vroeg Angeline. 'Zoals Tina zei, staat het hier zwart op wit. Vanaf het moment dat de Zwarte Graaf Asrijk is binnengevallen, is meneer Hartman regelmatig naar de Zwarte Bergen geweest. En kijk hier. Hier schrijft hij zelfs: "Heb vandaag de Zwarte Graaf gesproken." Als dat geen bewijs is.'

'Maakt me niets uit. Het is echt een vergissing,' zei Zots koppig. 'Koninklijke Hoogheden, luister alstublieft naar me. Ik ken bijna niemand in Asrijk die mij aardig vindt. Niemand vertrouwt me omdat ik eerst voor de Zwarte Graaf werkte. Goed, misschien hebben ze gelijk, want ik heb echt voor de Zwarte Graaf gewerkt, ik was er zelfs trots op. Ik was een slecht mens en veel mensen zullen zeggen dat ik dat nog steeds ben. Maar meneer Hartman was anders. Hij was de enige in Asrijk die in mij geloofde. Als hij er niet was geweest, dan zou ik nooit de moed hebben gevonden om te veranderen. En omdat hij voor mij opkwam, zal ik nu hetzelfde voor hem doen. Ik zweer dat meneer Hartman geen spion is. Vergeet niet dat ik zelf voor de Zwarte Graaf gewerkt heb. Ik vertel jullie de waarheid.'

'Dank je, Willibrord,' zei Leopold. 'Dat is goed om te weten. Je kunt nu gaan.'

Zots stond op. Hij deed zijn mond open alsof hij nog iets wilde zeggen. Toen veranderde hij van gedachten, sloeg zijn hakken tegen elkaar en verliet de ruimte.

Er viel een lange stilte. Tenslotte tilde koning Leopold zijn hoofd op. 'Hij heeft wel een beetje gelijk. Hij was hier jarenlang de baas.'

Angeline schudde droevig haar hoofd. 'Hij bedoelt het goed,' zei ze. 'Ik denk zelfs dat hij ervan overtuigd is dat hij de waarheid vertelt. Maar zo was het niet. Hoewel Zots in naam de baas was, was er heel veel waar hij niets vanaf wist. Juffrouw Maldiva liet zich bijna tot koningin van Asrijk kronen, pal onder zijn neus, en hij had niet eens in de gaten waar ze mee bezig was. Bovendien brachten alle spionnen altijd verslag uit aan juffrouw Maldiva, niet aan hem. En ik kan het weten, want zij probeerde van mij ook een spion te maken.'

'Ik vrees dat je gelijk hebt,' zei Leopold. 'Maar het is zo onwerkelijk. Je weet toch dat juffrouw Maldiva meneer Hartman in de gevangenis heeft laten gooien? Ze probeerde hem te dwingen haar met mij te trouwen, zodat zij koningin kon worden. Maar hij weigerde dat te doen. Hij zou dat waarschijnlijk ook geweigerd hebben als hij echt voor de Zwarte Graaf werkte, maar toch... Ik kan gewoon niet geloven dat hij een spion is.'

'Goede spionnen zijn altijd de mensen van wie je dat het minst verwacht,' zei Angeline zacht. 'En het ergste is nog wel dat meneer Hartman bij alle vergaderingen van de Koninklijke Raad is geweest. Hij kent al onze plannen.'

'Nee,' zei Leopold, 'dat is niet het ergste. Het ergste is dat we hem zojuist op pad hebben gestuurd naar de Zwarte Bergen met Lily en Koningin Draak. Zij weten van niets. En als Tina gelijk heeft, als wat in het boekje staat klopt, en meneer Hartman echt voor de Zwarte Graaf werkt, dan lopen ze regelrecht in de val.'

7

In de Zwarte Bergen

Vanwege het ongeluk hoefde Gordon niet mee te trainen met de Jongensbrigade. Maar hij moest wel toekijken hoe Jacobsen en Hendriks stokslagen kregen, en dus ging hij de volgende dag met de rest van zijn groep naar de strafkamer van de citadel. Terwijl alle anderen in de houding stonden, zat Gordon in zijn eentje op een podium voor in de ruimte. De twee gevangenen werden binnen gebracht en kregen tien harde stokslagen op elke hand. Jacobsen gilde en kreeg er daarom vijf bij. Toen het voorbij was en Gordon naar buiten liep, had hij graag willen zeggen dat het hem speet. Maar daar kreeg hij de kans niet voor. Bovendien zouden de woorden bij de moordlustige blik van Hendriks, die zijn zwart geworden vingers in een bak sneeuw hield, in zijn keel blijven steken.

Niemand had Gordon ooit stokslagen gegeven. Ze zouden het niet durven.

Toen hij weer veilig in zijn eigen kamer was en niemand kon zien hoe hard hij trilde, besefte Gordon dat geen van de andere jongens in de groep met hem had meegeleefd. Ook al had hij zelf niets verkeerd gedaan – ook al hadden Jacobsen en Hendriks bewust de hindernisbaan gesaboteerd zodat hij zou vallen en zichzelf pijn zou doen, ook al had hij dood kunnen vallen – alle andere jongens in de kamer hadden aan hun kant gestaan en niet aan de zijne. Sommigen slijmden bij hem, maar geen van hen vond hem echt aardig. Sterker nog, bedacht Gordon zich, ze haatten hem zelfs.

Maar mijn vader is de graaf! dacht Gordon verontwaardigd. Ze hebben het recht niet om me te haten. Ik kan er niets aan doen dat ik ben wie ik ben. Hier dacht hij een tijdje over na, maar het werd allemaal te ingewikkeld en

81

te oneerlijk. Hij pakte een reep chocola uit zijn bureaula, haalde het papier eraf en ging toen bij het raam zitten en keek naar buiten.

De wolken hingen laag en er dwarrelde af en toe een sneeuwvlok naar beneden. Er kwam een nieuwe storm aan, maar de Zwarte Brigades deden hun gebruikelijke oefeningen op de binnenplaats: ze marcheerden op en neer, en stonden in de houding in de sneeuw. Gordon nam een hap van zijn reep. Er gingen een paar minuten voorbij en toen zag hij Julia op haar sneeuwschoenen terug komen lopen uit het mijnwerkerskamp. Ze was er de hele ochtend geweest om te helpen bij de geboorte van een baby. Gordon vroeg zich af of het een jongetje of een meisje was. Als het een jongetje was, zou het bij zijn moeder worden weggehaald en naar het kindertehuis van de Zwarte Brigades worden gestuurd, zodat hij een soldaat kon worden. Hij wist dat Julia daarom altijd hoopte op een meisje en dat maakte hem vandaag nog bozer dan anders.

Julia verdween naar binnen en Gordon keek

weer naar de Zwarte Brigades. De sneeuw begon nu sneller te vallen en de wind stak op, maar de mannen bleven heen en weer marcheren. Normaal gesproken zou het oefenen nu wel afgelopen zijn, maar ze maakten geen aanstalten om te stoppen. Iets of iemand hield hen daar buiten, tot ver na het tijdstip waarop het oefenen klaar had moeten zijn.

Gordon keek naar de officieren en ineens herkende hij een gezicht dat daar niet hoorde te zijn. Generaal Sark stond in zijn grijze overjas zelf de troepen te drillen. Gordon begreep niet wat de generaal deed, maar hij werd ineens bang. De generaal keek omhoog naar zijn torentje en Gordon kreeg het gevoel dat hij naar hem staarde, achter het raam van zijn slaapkamer. Toen ging het zo hard sneeuwen dat hij niets meer kon zien.

Hoog boven de citadel, op de top van de Drakennek, zochten Lily, meneer Hartman en Koningin Draak beschutting tegen de storm.

Meneer Hartman had een grot gevonden die groot genoeg was voor hen alledrie, en samen hadden ze daar hun kamp opgeslagen en een vuurtje gemaakt. Meneer Hartman was warme chocolademelk aan het maken van gesmolten sneeuw, cacao en melkpoeder. Ondertussen probeerde Lily in de vrieskou Koningin Draak ervan te overtuigen door te gaan met hun missie.

'Waar ben je dan zo bang voor?' riep ze harder dan ze van plan was. Het was moeilijk om zich verstaanbaar te maken boven het geloei van de storm.

Maar Koningin Draak schudde alleen haar kop en weigerde iets te zeggen. Ten slotte gaf Lily het op.

'Koningin Draak wil ons niet naar de Drakenondergang vliegen,' meldde ze bezorgd aan meneer Hartman. 'Ze zegt dat het een slechte plek is.'

'Ze heeft vast gelijk,' zei meneer Hartman. 'De Zwarte Bergen zitten vol verdrietige herinneringen.' Hij keek de grot rond. 'Weet je, dit is geen natuurlijke grot. Het is een oude mijnschacht. De mensen die hem hebben uitgehakt, waren waarschijnlijk slaven afkomstig uit de landen die de Zwarte Graaf veroverd heeft. Misschien kwamen ze zelfs uit Asrijk.'

'Bedoel je dat er slaven uit Asrijk zijn in deze bergen?' vroeg Lily geschokt.

'O ja,' zei meneer Hartman. 'Er is zelfs iemand gevangen genomen op wie ik erg gesteld was, lang geleden tijdens het Beleg van Asrijk. Niemand heeft haar teruggezien.' Hij staarde droevig in de verte en Lily durfde niet verder te vragen.

Vlak na de lunch ging de sneeuwstorm eindelijk liggen. Lily en meneer Hartman pakten hun tent, slaapzakken en genoeg proviand voor twee dagen in. Koningin Draak beloofde op de rest van hun spullen te passen als zij op pad zouden zijn. Voordat ze vertrokken, liet ze Lily de Drakenoproepschreeuw oefenen. Dat was een speciale schreeuw die Koningin Draak aan Lily geleerd had tijdens hun winter op Skane, waarmee draken in nood om hulp konden vragen.

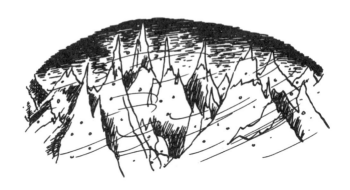

'Pas goed op jezelf, Lily,' zei ze ongerust. 'Ik heb hier een heel slecht gevoel over.'

'Ik zal voorzichtig zijn,' beloofde Lily. 'En ik zal de Drakenoproepschreeuw goed onthouden.' Zij en meneer Hartman namen afscheid en hesen de rugzakken op hun schouders. Toen begonnen ze aan de afdaling in de richting van het Dal van de Drakenondergang.

Tegen etenstijd wist Gordon bijna zeker dat er iets mis was in de citadel. Misschien kwam het door de enthousiaste manier waarop de soldaten van de Zwarte Brigades over de kantelen marcheerden of door de extra bewakers die opeens bij de controleposten stonden. Of kwam het door de vreemde drukte in de catacomben van de citadel? Maar het had ook kunnen komen omdat het avondeten laat was opgediend en hij gewoon chagrijnig was. Gordon had een hamburger met sla en ijs met slagroom gevraagd, maar de keuken had hem een half ontdooide diepvriespizza gestuurd en helemaal geen toetje.

'Niet zeuren, Gordon. Sommige mensen hebben niets te eten,' zei Julia scherp toen hij zich bij haar beklaagde. Ze zat bij hem in zijn torentje en breide een lange witte sjaal van bobbelige wol. Normaal gesproken schaamde Gordon zich als Julia zoiets zei. Maar vanavond werd hij er kwaad om.

'Wat kunnen andere mensen mij schelen.'

'Ze zouden je veel moeten schelen. Op een dag, als je vader dood is en jij over het Zwarte Rijk regeert, moet jij voor hen zorgen.'

'Net zoals mijn vader doet?' vroeg Gordon. Toen hij dat zei, liet Julia een steek vallen en keek niet op. Gordon was tevreden. Hij wist dat zijn vader in tegenstelling tot Julia, die altijd probeerde te helpen, niet echt om andere mensen gaf. Het maakte niet uit of ze hem aardig vonden of juist haatten, als ze hem maar gehoorzaamden. Gordon herinnerde zich hoe ongelukkig hij zich voelde na de straf van de twee jongens en ineens wilde hij dolgraag ook zo zijn. Misschien, dacht hij, was zijn vader daarom wel zo machtig.

'Mijn vader zou terug moeten komen naar de citadel,' zei hij opeens. 'Er is iets vreemds aan de hand en hij moet hier zijn. Maar het enige waar hij aan kan denken, is het heroveren van Asrijk.'

Julia gaf geen antwoord. Ze vond de steek die ze had laten vallen, haalde hem op en ging verder met haar breiwerk. Gordon begon zich ongemakkelijk te voelen. Had hij iets gezegd dat hij niet had moeten vertellen? Hij keek nog een keer en zag aan de hangende schouders van Julia en de manier waarop ze zat dat ze vanavond niet boos was, maar juist erg verdrietig. En op dat moment herinnerde hij zich iets dat ze hem lang geleden had verteld, iets dat hij bijna vergeten was. Julia kwam zelf uit een plaatsje dat Asrijkerstad heette.

'Vind je het erg?' flapte hij er plotseling uit. 'Ik bedoel, je woont al zo lang niet meer in Asrijk. Al voor mijn geboorte ben je daar weggegaan. Je bent het vast bijna vergeten.'

Julia legde haar breiwerk in haar schoot. Ze wreef met de rug van haar hand over haar ogen, en Gordon zag dat deze nat was.

'Natuurlijk ben ik het niet vergeten,' zei ze. 'Asrijk is mijn thuis. Ik denk er nog elke dag aan. En ik ben bang voor wat gaat komen. Als er een invasie komt, zal die verschrikkelijk zijn.'

'Er komt zeker een invasie,' zei Gordon. 'Mijn vader is hem aan het plannen. En bovendien moet je de mensen daar niet zielig vinden. Ze hebben de Zwarte Brigades verslagen, de paperclipfabriek verwoest en hun eigen koning op de troon gezet in plaats van mijn vader. Ze verdienen die invasie.'

'Vind je dat echt?' vroeg Julia. 'Je hebt nog

nooit een invasie meegemaakt, Gordon. Ik wel. Ik heb op de muren van kasteel Asrijk gestaan tijdens de belegering tien jaar geleden. Ik heb Koning Alwin de Laatste en Godfried Quench in de brandende slotgracht zien vallen, en toen zag ik mijn man ook in de vlammen verdwijnen terwijl hij probeerde hun levens te redden. Ik zag hoe mijn vrienden gevangen werden genomen. Ik zag mensen omkomen van de honger. En toen werd ik weggevoerd als slaaf. Ik ging bijna dood in de mijnen die eerste winter hier in de Zwarte Bergen. Heb ik dat verdiend alleen maar omdat ik in Asrijkerstad ben geboren? Heeft iemand zoiets verdiend?'

'Ja,' zei Gordon zachtjes. 'Dat hebben ze.'

'Als jij het zegt, Gordon,' zei Julia moe. Het feit dat ze niet eens de moeite nam om hem te weerspreken, maakte hem zo bezorgd dat hij eindelijk de vraag durfde te stellen die op het puntje van zijn tong lag.

'Je wilt toch niet weg, hè?' vroeg hij. Julia gaf geen antwoord en hij drong aan. 'Beloof het me, Julia. Beloof me dat je bij me blijft.'

Julia was even stil. 'Ik beloof je dat ik altijd van je zal houden, Gordon,' zei ze en ze sloeg haar arm om hem heen en trok hem tegen zich aan. Diep van binnen wist Gordon dat dit niet het antwoord was dat hij wilde horen. Maar het was eenvoudiger om te doen alsof dit wel het geval was.

Omdat ze pas laat weg waren gegaan, hadden Lily en meneer Hartman nog niet zo ver gelopen toen het alweer begon te schemeren. Ze besloten te stoppen voor de nacht en zetten hun tent op in een kleine geul die het dal in liep.

Hoewel ze doodmoe was en haar slaapzak warm en knus, viel Lily maar niet in slaap. In Asrijk sneeuwde het nooit, dus ze was niet gewend aan de kou, en meneer Hartman mompelde in zijn slaap alsof hij een nachtmerrie had. Ze dacht aan het Dal van de Drakenondergang. Stel dat Koningin Draak gelijk had en er daar inderdaad iets verschrikkelijks op hen wachtte? Maar haar grootmoeder en Matilda de Drakengesel waren er wel in geslaagd de blauwe lelie naar Asrijk te brengen.

Eindelijk viel ze in slaap. Vlak na zonsopgang werd ze wakker met de geur van ontbijt in haar neus. Meneer Hartman was al op en druk in de weer met worstjes, spek en eieren. Lily's maag rommelde. Ze trok haar laarzen en mantel aan en kroop de tent uit.

'Lekker,' zei ze. 'Is het al klaar?'

'Bijna,' zei meneer Hartman. 'Zullen we ondertussen even naar die richel daar lopen? Volgens mij hebben we vandaar goed zicht op waar we naartoe moeten.'

Samen liepen ze de helling op, terwijl het ontbijt lag te spetteren in de koekenpan. Vanaf de richel zagen ze velden van sneeuw en ijs die zich uitstrekten tot aan het Dal van de Drakenondergang. Uit het wit staken zwarte gekartelde rotsen omhoog, als afgebroken tanden, en in de verte hoorden ze een woeste stroom donderen. Het zag er niet erg aanlokkelijk uit.

'Ik geloof dat Koningin Draak gelijk had,'

begon Lily, maar een luid gebrul van beneden kapte haar woorden af. Er kwam een enorm kabaal uit hun kamp lager op de helling en de groene tent bolde ineens als een groene kwal op en zakte toen in elkaar.

'Iemand valt ons kamp aan!' Lily begon wild naar beneden te rennen. Onderaan kwam ze struikelend tot stilstand, met een blik van pure ontzetting op haar gezicht. Hun kamp was compleet verwoest en in het midden van de puinhoop stond een reusachtige bruine beer te grommen, met een sliert halfgare worstjes in zijn poten.

8

Het gouden kind

Meneer Hartman greep Lily bij haar arm en trok haar achter een rots. 'Blijf heel stil staan,' zei hij zacht.

Lily bevroor. De beer had hen nog niet gezien, maar hij stond zo geconcentreerd de lucht op te snuiven dat ze ervan overtuigd was dat hij hun geur had geroken.

Hun gasstelletje was omgevallen en uitgegaan. De koekenpan lag iets verderop, en Lily vermoedde dat de beer het spek en de eieren al had opgegeten. Terwijl ze toekeek, pakte hij haar slaapzak op en schudde hem heen en weer. Toen viel hij terug op zijn poten en begon in hun proviand te neuzen.

De beer haalde de laatste streng rauwe worstjes uit Lily's rugzak en at hem bedachtzaam op. Hij vond de crackers en de appels die ze had meegenomen uit Skane en at die ook op. Toen scheurde hij hun pakje thee open en strooide blaadjes over de sneeuw. Tot slot graaide hij nog een keer met zijn poten in de verwoeste tent. Lily kromp ineen toen ze hoorde hoe de enorme klauwen het tentdoek verscheurden. Er klonk veel gegrom en gesnuif voordat het beest weer overeind kwam.

'Ik geloof dat hij weggaat,' fluisterde ze.

Meneer Hartman legde zijn vinger tegen zijn lippen.

De beer stond heel stil te luisteren. Hij draaide zich om en keek precies naar de rots waarachter Lily en meneer Hartman zich verschuilden. Lily hield haar adem in. Ze had zich zo krampachtig aan de rots vastgeklampt dat haar vingers door haar handschoenen heen pijn deden. Na wat een eeuwigheid leek, zakte de beer weer op zijn poten en liep weg in de tegenovergestelde richting.

Lily liet de rots los. Ze wilde gelijk naar het kamp rennen, maar meneer Hartman hield haar tegen. Samen bleven ze wachten in de kou. Maar de beer kwam niet terug en na ongeveer tien minuten gingen ze naar hun verwoeste kamp terug.

'Wat een bende,' riep Lily uit.

'Heeft hij nog iets te eten overgelaten?' vroeg meneer Hartman.

Lily keek verdrietig naar het eten dat op de grond lag. 'Een paar blikken witte bonen in tomatensaus.' Haar maag rammelde toen ze dit zei. Meneer Hartman pakte een halve appel op, keek naar de tandafdrukken van de beer en gooide hem weg.

'Gelukkig kon hij de blikjes niet open krijgen,' zei hij.

'Ik houd niet van witte bonen in tomatensaus,' zei Lily treurig.

'Onzin. Als je genoeg honger hebt, vind je alles lekker. Kom, we steken het gasstelletje weer aan en dan hebben we die blikjes zo opgewarmd.'

Meneer Hartman ging aan de slag. Terwijl

hij de bonen opwarmde, zocht Lily tussen de flarden van de tent. Ze vond een reep chocolade die de beer blijkbaar niet gezien had, en tegen de tijd dat de bonen klaar waren, voelde ze zich al iets beter. Meneer Hartman had gelijk. Door haar honger smaakten de bonen inderdaad lekker. Ook al hadden ze zo uit het blik een beetje een metalige smaak. En omdat ze van meneer Hartman de reep chocolade alleen mocht opeten, voelde ze zich aan het eind van het maal bijna weer een Quench.

'Wat nu?' vroeg ze terwijl ze de tomatensaus van haar mond veegde. 'Kunnen we niet beter teruggaan naar Koningin Draak?'

'Dat hangt van jou af, Lily,' zei meneer Hartman. 'Jij bent de baas tijdens deze missie. Wat vind jij?'

'Tja… ik vind dat we door moeten gaan met onze tocht,' zei Lily. Door de chocolade had ze weer moed gekregen en bovendien tintelden de schubben op haar elleboog zachtjes. Hoewel dat soms betekende dat er gevaar dreigde, was het vaak ook een goed teken.

'Goed,' zei meneer Hartman. 'Ik ben het met je eens. We kunnen de tent en de slaapzakken maar beter hier laten. We moeten tegen de avond terug zijn bij Koningin Draak, dus het heeft toch geen zin om ze mee te slepen.'

Terwijl meneer Hartman hun afval begroef, zocht Lily de kaart en haar kopie van Matilda's dagboek. Deze zaten goed opgeborgen in de metalen koker waarin ze ook haar telescoop bewaarde. Ze stopte hem samen met haar lucifers en kompas in haar rugzak, die ze op haar rug hees. Toen deden ze hun sneeuwschoenen aan en vervolgden hun weg naar het witte en stille dal.

'Je vader heeft een bericht per postduif gestuurd,' zei generaal Sark. 'Hij wil dat je met de Zwarte Brigade meegaat op patrouille.'

Gordon keek op van zijn opstel over de ijzervoorraden in de Zwarte Bergen. Het leek hem heerlijk weer eens naar buiten te gaan. Toen herinnerde hij zich dat Julia gezegd had dat hij voorzichtig moest zijn en vroeg hij zich af wat er aan de hand was.

'Heeft mijn vader mij een brief gestuurd?' vroeg hij achterdochtig.

'Nee.'

Gordon kon de afschuw bijna zien in de bleekgroene ogen van de generaal. 'Je vader heeft het te druk met de voorbereidingen voor de Invasie van Asrijk. Hij heeft geen tijd om je te schrijven.'

'O,' zei Gordon. Zijn hart begon ongemakkelijk te bonzen, want hij wist dat wat zijn vader ook deed, hoe druk hij het ook had, hij altijd tijd had om Gordon een briefje te schrijven. Generaal Sark loog. Gordon was ervan overtuigd dat hij hem uit de buurt wilde hebben, maar hij had geen flauw idee waarom.

'Goed, mag ik uw orders zien?' zei Gordon kortaf.

Dit keer was de boze blik in Sarks ogen overduidelijk. 'Nee, dat mag je niet,' zei hij. 'Ze zijn aan mij gericht, niet aan jou. Trek je jas aan, Gordon. Over vijftien minuten vertrekt er een sneeuwpatrouille. Voor je eigen bestwil denk ik dat het beter is als je met hen meegaat.'

Aan het eind van de ochtend veranderde het geluid van stromend water voor hen in geraas. Lily, die tijdens haar bezoek aan het Zingende Woud watervallen had gezien, dacht dat er een heel grote in de buurt moest zijn. Er klonk nog een geluid: een vreemd soort geknap, gedruppel, gespetter, dat ze niet meteen thuis kon brengen.

'Het is lente in de bergen,' verklaarde meneer Hartman. 'Het ijs smelt. Hoewel het hier zo koud is dat de sneeuw nooit helemaal verdwijnt.'

Lily rilde: 'Je zult hier maar wonen.'

'Ja, stel je eens voor,' zei meneer Hartman. 'Er groeit hier niets, Lily. Er is niets in de Zwarte Bergen behalve sneeuw en ijs, en ijzer om wapens van te maken. Alles wat de mannen en vrouwen in deze bergen nodig hebben – eten, kleren, brandstof – moeten ze ergens anders halen. Daarom hebben de graven het Zwarte Rijk opgebouwd, lang geleden. Ze moesten wel, wilden ze overleven.'

'Hoe weet je dat allemaal?' vroeg Lily nieuwsgierig.

'Ik weet niet zoveel, hoor,' zei meneer Hartman. 'Maar ik ben hier een paar keer geweest, op zoek naar iemand.' Hij veranderde van onderwerp. 'Kijk, we zijn hier bij de rand van de kaart. De Drakenondergang is vlak voor ons. We moeten nu voorzichtig zijn.'

De twee vrienden liepen een stukje verder. Lily keek goed in het rond. De grond was steil en bedekt met sneeuw, maar het leek niet gevaarlijker dan de weg die ze tot nog toe hadden afgelegd. Toen zag ze iets uit de sneeuw omhoog steken.

'Kijk!' wees ze. 'Die rots daar! Er zit een gat in, net als bij de rots die Matilda in haar dagboek heeft getekend!'

Ze liepen snel verder en kwamen na een paar minuten stevig doorstappen bij de rots. Lily zag meteen dat dit de rots was die Matilda getekend had. Hij was erg hoog en zwart, met steile, ronde zijkanten en een punt bovenop. Het gat had gladde randen en liep door tot de andere kant.

'Wie zou dat gemaakt hebben?' Lily tuurde in het gat. Ze dacht dat ze er precies doorheen zou kunnen kruipen en stopte haar hoofd en schouders er al in. Aan de andere kant zag ze blauw licht flitsen. Opgewonden begon Lily door het gat te wriemelen. Maar meneer Hartman greep haar bij haar kraag en trok haar terug.

'Dat kun je beter niet doen, Lily,' zei hij. 'Als je daardoor kruipt, weet je niet waar je uitkomt. Te veel mensen zijn al verdwenen in dit dal. We moeten geen risico's nemen.'

'Sorry.' Lily schudde haar hoofd. 'Weet je, ik kreeg even een heel vreemd gevoel. Alsof ik door dat hol moest kruipen om mijn missie te volbrengen. Ik vraag me af waar dat vandaan kwam.'

'Dat weet ik niet, maar vast niet van iets goeds,' zei meneer Hartman. 'Koningin Draak heeft gelijk als ze zegt dat deze vallei gevaarlijk is. We moeten aan onze opdracht denken en ons niet door gevoelens laten leiden.'

Lily pakte haar rugzak en ze liepen voorzichtig langs de steen.

Nu begon de grond steil af te lopen en voor zich zagen ze een ravijn. Het geluid dat volgens Lily van een waterval moest komen, werd steeds harder en toen ze naar de rand liep, zag ze een rivier die donderend en razend zijn weg zocht door een woud van scherpe grijze rotsen in het dal ver onder hen. Lily werd misselijk en bang van de duizelingwekkende diepte, maar ook een beetje opgewonden. Zelfs waar zij stond, hoog boven het water, voelde ze ijskoude spetters op haar gezicht.

'Wow!' zei ze. 'Moet je die rotsen zien. En daar beneden… volgens mij zie ik iets glinsteren. Daar staat iemand… nee, het is een beeld gemaakt van goud!' Lily's stem sloeg over en ze pakte snel haar telescoop. Halverwege de rotswand, op een uitstekende richel, stond een standbeeld van een jongen met een cape. De

gouden plooien waren zo levensecht dat ze leken te wapperen in de wind, en toen de telescoop bewoog in Lily's ijskoude vingers, leek het alsof hij opkeek en naar haar glimlachte.

Opeens wenkte het gouden kind haar. Lily schrok zo, dat ze haar telescoop liet vallen. Achter zich hoorde ze meneer Hartman haar naam roepen, maar zijn stem kwam van ver. Het gouden kind glimlachte tegen haar, zei haar dat ze naar beneden moest komen. Meneer Hartman schreeuwde nog steeds, riep dat ze aan Leopold en Asrijk moest denken, en aan de blauwe lelie, maar Lily kon hem bijna niet verstaan. En als ze hem wel had gehoord, had ze niet naar hem geluisterd. Ze viel op haar knieën en wilde haar benen over de rand van het ravijn zwaaien.

'Lily!' brulde meneer Hartman. 'Stop! Denk aan Koningin Draak!' En ineens herinnerde Lily zich, door de waas in haar hoofd heen, Koningin Draak en ze hoorde haar zeggen dat ze goed moest opletten. Het gouden kind krijste van woede en Koningin Draak bulderde, en even streden die twee stemmen met elkaar in Lily's hoofd want ze wilden elkaar overstemmen. Toen verdrong het gebrul van de draak de schrille schreeuw van de jongen, en Lily wist meteen dat Koningin Draak gelijk had: de Drakenondergang was een slechte plek en de mensen die naar het gouden kind hadden geluisterd waren nooit teruggekomen.

'Het is al goed, Koningin Draak!' gilde ze. 'Ik hoor je!'

Onmiddellijk hielden de stemmen in haar hoofd op met ruziën en was het doodstil.

Lily lag in de sneeuw op de rand van het ravijn. Onder haar stond het gouden kind te glanzen in het zonlicht. Het was maar een beeld. Maar eromheen, van de rotswand helemaal tot aan de rivier, zag Lily nu de verbleekte botten liggen van de reizigers die het niet gered hadden.

'Gaat het, Lily?' vroeg meneer Hartman. Hij zat een stukje verderop. Zijn gezicht was lijkbleek en hij zag groen om de neus.

'Ik geloof het wel,' zei Lily trillend. 'Het zei tegen me dat ik naar beneden moest springen.'

'Tegen mij ook,' zei meneer Hartman. 'Ik had het nog gedaan ook, als ik niet aan een heel bijzonder iemand had gedacht. De herinnering aan haar gaf me de kracht om te blijven staan.' Opeens begon hij te lachen. 'Kijk, Lily,' zei hij. 'Daar hadden we hem bijna over het hoofd gezien. De blauwe lelie!' Hij wees en Lily zag ineens iets blauws in de sneeuw.

'De blauwe lelie!' Lily schoof voorzichtig door de sneeuw naar voren. Ze viste haar schepje uit haar zak en begon rond het plantje te graven. De blauwe bloem trilde op zijn steeltje. Lily wroette met haar vingers in het gat, zodat ze bij de bol kwam. Precies op het moment dat ze de bol voelde, ging er een schok door de grond en begon de rots onder haar te bewegen.

Lily voelde hoe ze naar de rand van het ravijn gleed. Ze gilde, haar hoofd en schouders hingen al in de lucht, maar toen lag ze stil. Meneer Hartman had haar voeten gegrepen en trok haar net op tijd terug.

Lily lag hijgend in de sneeuw met de kostbare bol stevig in haar hand. Meneer Hartman hielp haar opstaan.

'Kom,' zei hij. 'We zijn hier al veel te lang. We moeten terug naar Koningin Draak.'

De weg terug was erg vermoeiend. Ze moesten niet alleen door de sneeuw ploeteren, maar ook nog eens het hele stuk bergopwaarts. Het was erg ver en Lily was bang dat ze zouden verdwalen in de onbekende witte wereld. Ze had ook flink honger, maar besefte dat ze pas weer iets te eten zou krijgen als ze bij Koningin Draak waren. Ze werd al flauw bij die gedachte.

Pas tegen het eind van de middag kwamen

zij bij de bocht die leidde naar de geul waar hun kamp was geweest. Lily zag het groen van hun kapotte tent, donker tegen de sneeuw, en schraapte haar laatste restjes energie bij elkaar. Toen ze bij het kamp kwamen, stopten ze verbaasd.

'Er is hier iemand geweest!' riep ze uit. 'Er staan voetstappen in de sneeuw.'

Ze werd onderbroken door het gesnor van een motor. Lily keek op en zag een slanke zwarte sneeuwmobiel op zich afkomen. Achter de rotsen waar ze zich verstopt hadden voor de beer bewogen donkere schaduwen.

'De Zwarte Brigade!' Lily en meneer Hartman begonnen te rennen, maar ze konden niet meer ontsnappen. De sneeuwmobiel stopte een stukje verderop en een half dozijn soldaten met donkere ski-jacks en bontgevoerde mutsen sprongen eruit en renden naar hen toe.

'Handen omhoog,' sprak een gedempte stem. Er sprong iemand uit de sneeuwmobiel en liep op hen af.

'Niet te geloven, je bent een meisje!' zei hij

verbaasd toen hij dichterbij kwam. Lily bedacht op haar beurt dat de jongen die dit zei nauwelijks ouder was dan zijzelf. Hij had donker haar en een bleek gezicht, en er zat een witte pleister op zijn voorhoofd. Desondanks droeg hij een uniform met veel goudversiering en zag hij er belangrijk uit. Lily probeerde hem recht aan te kijken, maar ze was moe en ze had honger, en al haar Quench-eigenschappen leken verdwenen te zijn. Ze werd al bang van de blik in zijn ogen.

'Wie ben je?' vroeg de jongen. 'En wat doe je hier in deze bergen?'

Ze had al haar moed nodig om niets te zeggen. Meneer Hartman gaf ook geen antwoord. De jongen keek hen nog even aan en maakte toen een ongeduldig gebaar met zijn hand.

'Bind ze aan elkaar vast,' zei Gordon, 'en zet ze achterin. Ze zullen vast een stuk spraakzamer zijn in de citadel.'

9

De Zwarte Citadel

Zodra ze bij de Zwarte Citadel kwamen, werden Lily en meneer Hartman van elkaar gescheiden. Lily, die heel hard geprobeerd had niet doodsbang te zijn toen de sneeuwmobiel door de enorme zwarte poort reed, werd in haar eentje opgesloten in een kleine kamer zonder ramen. Er stond geen meubilair, zelfs geen stoel, en hij was nauwelijks groter dan een kast. Lily kroop in een donker hoekje, ging zitten met haar armen om haar knieën en kneep haar ogen stijf dicht. Ze voelde zich diep ongelukkig.

Na ongeveer tien minuten ging de deur open en kwam de jongen van de sneeuwmobiel binnen. Hij droeg Lily's rugzak en had zijn jas met goudgalon uitgetrokken. Maar het uniform dat hij eronder droeg, zag er ook heel erg belangrijk uit. Lily vond dat hij de koudste ogen had die ze ooit had gezien.

'Hoe heet je, meisje?' vroeg hij.

Lily besloot de waarheid te vertellen: 'Ik heet Lily.'

'Lily hoe?'

'Lily… Boonstaak.'

'Goed, Lily Boonstaak. Je bent me een verklaring schuldig. Wat deed je daar op die helling?'

'We kwamen net terug van het Dal van de Drakenondergang.'

'Drakenondergang? Je verwacht toch niet dat ik dat geloof? Niemand gaat daar heen en komt levend terug.'

Lily gaf geen antwoord. Deels omdat ze te bang was, maar ook omdat ze besefte dat ze het verkeerde antwoord had gegeven. Dus zat ze maar op de vloer, keek naar de jongen en wachtte tot hij weer iets zou zeggen. Na een poosje werd hij onrustig.

'Je liegt,' zei hij. 'En je liegt tegen de verkeerde persoon. Weet je wel wie ik ben? Ik ben Gordon. Mijn vader is de Zwarte Graaf. Als je tegen me liegt, kan ik je voor de rest van je leven naar de mijnen sturen.'

'Maar ik vertel de waarheid,' zei Lily. 'Echt waar.'

'Goed. Laten we daarvan uitgaan,' zei Gordon. 'Waarom was je in het Dal van de Drakenondergang en wat deed je daar?'

'Ik was bloemen aan het verzamelen,' zei Lily.

Gordons gezicht werd langzaam rood. 'Houd me niet voor de gek!' brulde hij. 'Wie denk je wel niet dat ik ben? Niemand praat zo tegen mij. Ik zal met mijn vader spreken en je laten opsluiten.'

'Maar ik ben al opgesloten,' zei Lily.

Dat had ze niet moeten zeggen. Gordon stampte met zijn voet en kreeg de ergste woede-uitbarsting die Lily ooit had gezien. Hij schreeuwde en ging tekeer, riep tegen Lily dat ze een engerd was en een leugenaar en een be-

drieger en dat hij haar naar de diepste mijnschacht in de verschrikkelijkste mijn van het
hele Zwarte Rijk zou sturen. Lily zei niets. De
blauwe lelie zat nog altijd in haar zak. De geur
dreef in haar neus, rijk en krachtig en overwel-
digend. Ze werd er helemaal rustig van, terwijl
Gordon steeds verder over zijn toeren raakte.

'Luister,' zei hij ten slotte toen hij niets meer
wist te zeggen of te doen en weer kalmeerde.
'Het heeft geen zin om tegen me te liegen. Je
zult uiteindelijk de waarheid vertellen. Je maakt
het jezelf alleen maar moeilijker als je dat niet
meteen doet.'

'Maar ik lieg niet,' hield Lily vol. 'Meneer
Hartman en ik zijn... plantenverzamelaars.
We gingen naar het dal op zoek naar zeldzame
planten. O, en we zijn onderweg een beer te-
gengekomen. Hij heeft ons ontbijt opgegeten
en onze tent verscheurd. Je kunt teruggaan om
het te controleren, als je wilt.'

'Houd je kop!' brulde Gordon. 'Houd je kop.
Nu moet je eens goed luisteren, Lily Boonstaak.
Niemand, op één man na, is ooit in de Dra-

kenondergang geweest en levend teruggekomen. Dat was meer dan honderd jaar geleden en hij werd volslagen krankzinnig. De Zwarte Graven proberen er al eeuwen achter te komen wat daar beneden staat dat mensen de dood in jaagt, maar niemand heeft het ooit kunnen ontdekken. Waarom? Omdat er nooit iemand teruggekomen is, behalve een oude gek. Hoor je dat? Niemand!'

Opeens werden Gordons woorden overstemd. Ergens diep in de citadel begon een klok te luiden. Het zware geluid galmde hol door de gangen en liet de betonnen muren van Lily's cel schudden. Het dreunde door de vloer en deed haar lichaam trillen. Gordons blik veranderde ogenblikkelijk. Hij keek niet langer woedend, maar juist geschrokken en bang.

'Wat is dat?' vroeg Lily. 'Wat gebeurt er?'

Gordon staarde haar aan. 'Dat is de Grote Klok,' zei hij. 'Die is al vijftig jaar niet meer geluid. Het betekent dat de citadel wordt aangevallen.'

'Aangevallen...' Voor de tweede keer werden

ze onderbroken, dit keer door snelle voetstappen in de gang. Gordon sprong op de deur af en Lily ving nog net een glimp op van een mollige vrouw met een bontjas aan. Maar het was al te laat. Het licht ging uit. De deur van de cel knalde dicht en ze hoorden hoe een sleutel in het slot werd omgedraaid.

Ze zaten gevangen.

'Hoe bedoel je, een draak?' zei generaal Sark geïrriteerd. Hij stond bij het raam van Gordons torenkamer en keek hoe zijn persoonlijk uitgekozen soldaten van de Zwarte Brigades de laatste aanhangers van de Zwarte Graaf oppakten. Over enkele ogenblikken zou hij naar buiten gaan en de macht over het Zwarte Rijk overnemen. Het was zijn grote moment, zijn triomf, waar hij jarenlang in het geheim aan gewerkt had. En nu probeerde zij het te bederven. 'Je bedoelt toch niet de Draak van Asrijk? En wie is in hemelsnaam Lily Quench?'

'Iemand met wie je geen problemen wilt,' zei

Kristel Helder. Ze zat op Gordons bureau en zwaaide haar in dure laarzen gestoken voeten heen en weer. Ze had haar handen in de mouwen van haar lange bontjas gestopt, want het raam stond open en het was bitterkoud. 'Sark, ik stuur je al jarenlang brieven waarin ik vertel wat er gaande is. Heb je ze dan nooit gelezen? Ik zeg je dat je Lily Quench daar beneden in je kerkers hebt zitten. Dé Lily Quench. De Lily Quench die naar het Zingende Woud is geweest en die de opstand heeft geleid waardoor die worm van een schoonzoon van me onterecht op de troon is gekomen.'

'Dat heb je me al verteld. Meer dan eens,' snauwde Sark. 'Moet je luisteren, mevrouw Duister, eh, Helder. Al die verhalen over As-

rijk en de draak waren erg nuttig. Het houdt de graaf bezig bij de grens en daarmee maanden uit mijn buurt, en daar ben ik je dankbaar voor. Maar op dit moment moet ik een rijk veroveren. De graaf loopt nog vrij rond en dat afschuwelijke joch, Gordon, zwerft nog door de citadel...'

'O, echt waar?' Kristel glimlachte geheimzinnig.

'... en ik heb geen idee waar hij uithangt,' eindigde Sark. 'De kapitein had met hem weg moeten blijven totdat alles voorbij was en hem dan als gijzelaar mee terug moeten nemen, maar blijkbaar hebben ze een paar mensen gevangen genomen en kwamen ze eerder terug.'

'Sark, schatje,' zei Kristel, 'waar heb je het over. We hadden een afspraak. Jij wordt Keizer van het Zwarte Rijk, ik word Keizerin en Koningin van Asrijk. Nee,' verbeterde ze zichzelf, 'Koningin-Moeder. Angeline mag koningin blijven, ik wil niet hebberig lijken. Maar die sukkel van een Leopold moet absoluut weg. Alleen... met Lily Quench en haar draak hier in de buurt, weet je maar nooit of dat gaat lukken.'

'Ik heb die beroemde draak nog nooit gezien,' zei Sark kil. 'Misschien bestaat hij wel
helemaal niet, behalve in jouw paarse hoofdje.'

'Je komt er snel genoeg achter als er een duizend ton zware, vuurspuwende hagedis over je
muren komt vliegen, schatje,' zei Kristel. 'Voor
de laatste keer, Sark. Lily Quench is hier in de
citadel. De draak kan dus niet ver weg zijn. Ik
heb je gewaarschuwd.'

'Ja, je hebt me gewaarschuwd. Meer dan eens
zelfs.' Generaal Sark pakte zijn hoed en trok
zijn overjas aan. 'Waarom hoepel je niet op,
Kristel? Laat me met rust en misschien ben ik
dan zo aardig om je niet naar de afschuwelijk-
ste mijn van de Zwarte Bergen te sturen.' Hij
zette zijn hoed op en stormde de kamer uit.

'Daar krijg je spijt van,' zei Kristel tegen de
dichtslaande deur. Met wapperende paarse
krullen wipte ze van Gordons bureau en liep
vastbesloten de kamer uit.

Diep weggedoken in haar blauwe jas beklom
Julia zachtjes de trap die naar de duivenzolder

leidde. Boven haar hoofd hoorde ze de duiven koeren. Het tochtte op de trap en de metalen treden waren bezaaid met vogelpoep. In haar hand had ze een briefje. Het was heel klein opgevouwen en in een metalen kokertje gepropt.

Julia maakte zich zorgen om Gordon. Ze wist niet waar hij was en of hij zelfs nog leefde. Met uitzondering van één persoon, hield Julia het allermeeste van Gordon. Daarom was ze ervan overtuigd dat wat ze nu deed juist was.

Julia kwam op de zolder en bekeek de rijen kooien. Toen vond ze de kooi waarop stond: KAMP 1 – ESKADER 1. Ze haalde de grootste, sterkste duif eruit, bond het kokertje snel aan zijn pootje en gooide hem uit het raam. Even viel de vogel naar beneden, maar toen spreidde hij zijn vleugels en vloog weg, naar de grens met Asrijk.

'Wat nu?' vroeg Gordon toen hij klaar was met schreeuwen tegen niemand in het bijzonder. Hij had niet echt verwacht dat er iemand zou luisteren, maar hij was zo gewend om zijn zin te krijgen dat dit het eerste was wat hij deed.

'Er zit geloof ik een zaklantaarn in mijn rugzak,' zei Lily. 'Die had je in je handen toen ze de deur dicht deden. Hij zit in een zijvak.'

'Wacht even.' Gordon ritste het vak open. Iets kletterde op de grond. 'Hebbes,' zei Gordon en hij deed hem aan.

'Dat is beter.' Lily strekte haar hand uit naar haar rugzak en tot haar verrassing gaf Gordon hem aan. Lily knielde neer en begon er in te rommelen.

'Je hebt er zeker geen eten in zitten?' vroeg Gordon. Het was al een paar uur geleden dat hij voor het laatst gegeten had en hij bedacht zich net dat het nog wel een hele tijd zou kunnen duren voordat hij weer wat kreeg.

'Dat heb ik toch verteld: de beer heeft alles opgegeten.' Lily vond wat ze zocht op de bodem van de tas. 'Heb je enig idee wat er gebeurd is?'

'Niet echt,' bekende Gordon. 'Maar vanmiddag was er iets verdachts aan de hand. Gene-

raal Sark trainde namelijk de troepen. En toen
stuurde hij me op patrouille.'

'Wie is generaal Sark?' vroeg Lily, en Gordon
vertelde het haar. Hij vertelde haar nog veel
meer, over zijn vader en de Invasie van Asrijk,
over Sarks hekel aan hem, en hoe iemand hem
geprobeerd had te doden op de hindernisbaan.
Lily liet hem praten terwijl zij met haar loperset
bezig was met het slot van de deur. Jason had
haar voor haar vertrek geleerd hoe ze zo sloten
kon openmaken, omdat hij dacht dat dat vast
een keer van pas zou komen. Toen had Lily
hem niet echt geloofd, maar nu was ze erg blij
dat ze het had geleerd.

Eindelijk sprong het slot open. Lily deed de
deur open en liep de schemerige gang in. Een
vrouw met een lange bruine bontjas en een chique hoed op haar hoofd kwam hun kant oplo-
pen. Ze zag er bekend uit en Lily knipperde
met haar ogen.

Toen klonk er een lijzige stem: 'Als dat Lily
Quench niet is, of ik ben een olifant.'

Lily hapte naar adem. Het was de moeder
van koningin Angeline, Kristel Helder.

10
Vlucht naar de bergen

'Kristel! Wat doe jij hier?' riep Lily uit.

Kristel werd nijdig: ' "Uwe Majesteit" zul je bedoelen! Of op zijn minst "mevrouw Helder", klein onderkruipsel. En wat ik hier doe? Wel, juffie, ik zou jou hetzelfde kunnen vragen.'

'Ik ben op een officiële Quench-expeditie voor koning Leopold,' zei Lily. 'Niemand heeft me verteld dat u hier zou zijn.'

'Dat komt omdat mijn missie topgeheim is,' zei Kristel. 'Mijn dochter, koningin Angeline, heeft me hier naartoe gestuurd als… als ambassadeur voor het Zwarte Rijk.'

'Ambassadeur? Ik geloof er geen w…'

'Ik heb hier geen tijd voor,' onderbrak Gordon hen. 'Er is iets gebeurd in de citadel. Ik moet erachter komen wat het is.'

'O dat,' zei Kristel en schudde haar paarse krullen naar achter. 'Als je het echt wilt weten, kan ik het je wel vertellen. Die engerd, Sark, heeft de macht overgenomen. Hij is van plan de graaf te verdrijven en zelf heerser te worden over het Zwarte Rijk.'

Gordon werd wit van schrik. 'Mijn vader verdrijven? Ik moet iets doen!'

'Te laat,' zei Kristel vrolijk. 'Als ik jou was, schatje, zou ik hem snel smeren. Sark heeft er al patrouilles op uitgestuurd om je te zoeken. Je bent de volgende op zijn zwarte lijst.'

'Hoe weet je dat allemaal?' vroeg Lily achterdochtig. Kristel had weliswaar gezegd dat ze door haar dochter gestuurd was, maar Lily kende haar goed genoeg om haar niet te vertrouwen. Maar voordat ze Kristel nog meer moeilijke vragen kon stellen, hoorden ze ineens het geluid van voetstappen. Een Zwarte Brigade kwam de hoek om en marcheerde luidruchtig op hen af.

'Rennen!' brulde Lily. Gordon stak zijn hand uit en drukte snel op een rode knop op de muur. Er ging een alarm af en een enorme metalen deur zwaaide dicht, zodat de soldaten er niet meer door konden. Kristel rende er naartoe en begon wild met haar vuisten op het metaal te bonzen. Vanaf de andere kant klonk geschreeuw en het geluid van getrap tegen staal.

'Laat me eruit! Laat me eruit!' brulde Kristel.

Lily pakte haar bij de pols.

'Laat me los!'

'Mooi niet. Je gaat met ons mee!' Lily was sterk geworden doordat ze maandenlang de tuin had omgespit op Skane. Ze drukte haar nagels in Kristels pols en trok haar vastbesloten mee.

'Auw. Auw, klein kreng! Dat zal ik aan Leopold vertellen. En aan de koningin. Oké, oké, ik ga al mee!'

Er klonk een donderend geraas achter hen toen de metalen deur omviel. Er stroomden soldaten door de opening, en Kristel sprong en piepte als een kip op weg naar de slachterij. Aan het eind van de gang holde Lily de hoek om en kwam bij een doodlopend stuk.

'Niet die kant op!' Gordon stopte even om nog een metalen poort te sluiten, gooide toen een deur open en duwde hen erdoorheen. Ze renden een trap af naar een lagere verdieping. Onderaan botsten ze tegen een wachtpost op. Lily en Kristel gilden, maar Gordon brulde gewoon tegen hem: 'Opzij, jij idioot!' en de man sprong naar achteren zonder iets te zeggen.

Aan het eind van de gang zat weer een deur. Gordon doorzocht zijn zakken. Lily stopte en keek door een raam in de ruimte ernaast. Daar zag ze een garage vol motoren, gepantserde auto's... en soldaten. Eentje keek op. Lily dook naar beneden, maar het was te laat.

'Ze hebben ons gezien,' riep ze en rende de laatste paar meter naar het einde van de gang. Gordon stak net de sleutel in het slot. Een stem riep dat ze moesten blijven staan. Lily sprong de donkere ruimte in en sleurde Kristel mee.

Toen knalde Gordon de deur dicht en draaide hem weer op slot.

Hij deed het licht aan. Lily zag een prachtige zwart-met-chromen motorfiets met zijspan. Ze rukte de deur van de zijspan open en propte Kristel erin. Gordon sprong op de motor en zette zijn helm op. Lily greep een tweede helm van de plank en ging snel achter hem zitten.

Gordon startte de motor en drukte op de knop van de automatische deur. Hij gaf gas en deed de koplamp aan. Uitlaatgassen vulden de garage terwijl de deur langzaam omhoog schoof. Achter hen klonk een luid gebonk en het gekletter van laarzen op staal. 'Kom op, kom op!' mompelde Gordon en keek over zijn schouder. Toen de deur helemaal omhoog was, gaf hij gas en schoten ze de garage uit, de donkere nacht in.

Buiten in de bergen was het donker, geen ster te zien, en bitterkoud. Lily droeg nog steeds haar vliegeniersjas en pet, maar ze was vergeten om haar handschoenen aan te trekken en algauw had ze geen gevoel meer in haar handen. Ze kon zich niet voorstellen hoe koud Gordon het moest hebben. Zijn jas lag nog in de citadel en hij droeg niets anders dan zijn uniform en helm.

De weg was zwart en ijzig en liep alleen maar omhoog. De grote motor snorde zonder moeite de bochten om, de koplampen zwiepten over rotsblokken, sneeuw en ijs. Ze staken een rivier over, die bruisend over scherpe rotsen en langs een groep armetierige huizen stroomde. Bij de volgende bocht keek Lily even achterom. Een lichtstraal streek langs het vizier van haar helm en haar hart sloeg over van schrik.

'Ze zitten achter ons aan!' Lily tikte op Gor-

dons helm. Hij draaide zijn hoofd om, scha-
kelde terug en trok zo hard op dat Lily moeite
had te blijven zitten. Achter hen hobbelde en
zwiepte een hele rits koplampen over de weg.
Lily wist dat, hoe hard ze ook reden, ze niet
snel genoeg waren. Zelfs zonder het extra
gewicht van de zijspan en de twee passagiers
zouden de achtervolgers de motor snel inhalen
en van de weg afduwen.

Gordon gaf nog meer gas, alsof hij Lily's
gedachten kon lezen, tot de motor gierde. Er
gaapte een enorme tunnel recht voor hen en de
motor racete naar binnen. De zijwind had hier
geen vat op hen en hield op met beuken. Er
brandde een schel licht. Het snerpende geluid
van de motor werd weerkaatst door de betonnen muren. Lily keek weer over haar schouders. Tien of twaalf zwarte motoren met soldaten van de Zwarte Brigade reden net de tunnel binnen. Eén motor lag voor en kwam snel
dichterbij.

Als we nog sneller gaan, verongelukken we
nog, dacht Lily. Ze keek weer om en zag dat

de berijder van de voorste motor zijn hand op-
hief en een afstandbediening op de muur voor
haar richtte. Opeens klonk er het zware ge-
brom van een krachtige motor en een enorme
metalen deur begon voor de uitgang van de
tunnel te zakken.

'Hoofd naar beneden!' Ondanks haar helm
hoorde Lily Gordons schreeuw. Ze dook in
elkaar en de motor vloog net onder de deur
door. Ze voelde bijna haar helm langs het metaal schrapen. Toen waren ze eronderdoor en
zakte de deur dicht. Er klonk een enorme knal
toen hun achtervolger op volle snelheid tegen
het metaal botste. Daarna reden ze weer door
het duister en hoorden ze alleen nog het geluid
van hun eigen motor.

In haar grot hoog op de Drakennek lag Koningin Draak te slapen. Ze droomde dat ze door
de lucht vloog en dat de wolken haar schubben
kietelden. Er vloog iemand naast haar – niet
Lily of een andere menselijke vriend, maar een

draak die ze al duizenden jaren niet had gezien. Samen zweefden ze over met sneeuw bedekte bergtoppen die nog hoger waren dan de Zwarte Bergen. Ze waren op weg naar een drakenland dat eeuwen geleden verdwenen was, en dat alleen nog in dromen bestond.

Nadat zij en haar vriend over de laatste bergtop waren gevlogen, kwamen ze in een vallei die zo groen en mooi was dat geen mens de aanblik ervan kon verdragen. Vanuit de diepte kwam er een zwerm andere draken op hen afgevlogen, hun schubben glansden groen, rood en brons in de zomerzon. Koningin Draak proestte van geluk zodat er een vuurbal door de heldere lucht vloog. Zij en haar vriend klapten hun vleugels dicht en doken omlaag naar hun vrienden...

'Koningin Draak!'

Een bekende stem drong door in haar droom en sloeg de prachtige beelden aan diggelen. Koningin Draak kreunde en deed haar ogen open. Het was ijskoud en ze lag nog altijd in die afschuwelijke grot in de Drakennek, te wachten tot Lily en meneer Hartman terugkwamen. Maar het was niet de stem van Lily die haar wakker had gemaakt. Koningin Draak knipperde met haar ogen, draaide haar enorme kop om en sprong op van schrik. Niet ver van haar stonden twee mensen gekleed in het uniform van de Zwarte Brigade.

'Niet schrikken, Koningin Draak, ik ben het maar,' zei de langste van de twee snel toen Koningin Draak op hen af wilde springen, 'Leopold. En dit is Angeline. We hebben ons vermomd.'

'Maar wat doen jullie hier?' vroeg Koningin Draak toen ze over de ergste schrik heen was. 'Hoe zijn jullie hier gekomen? En hoe hebben jullie mij gevonden?'

'Het was mijn idee,' zei Angeline bescheiden. 'We zijn in Zots' oude gepantserde auto naar de Zwarte Bergen gereden, en toen de weg ophield, zijn we gaan klimmen naar de rookwolkjes. Ik weet niet of je het weet, maar je rookt in je slaap. En wat we hier doen... We komen jou en Lily waarschuwen.' Ze keek de grot rond. 'Maar waar is Lily?'

'Bij meneer Hartman, natuurlijk,' zei Koningin Draak. 'Ze zijn op zoek naar de blauwe lelie in het Dal van de Drakenondergang.'

'O nee,' zei Leopold. 'Dan zijn we te laat.'

'Te laat? Wat bedoel je?' Koningin Draak begon ongerust rookwolkjes uit te blazen. 'Wat gebeurt er? Wat is er aan de hand?'

'Dat is een lang verhaal, Koningin Draak,' zei Angeline. 'Ga zitten, dan we vertellen we je alles, vanaf het begin.'

Ze reden over de bergweg vlak onder de bergtop waar Koningin Draak zich verborgen hield. Ineens werd Lily opgeschrikt door enkele vreemde geluiden die uit de motor kwamen. Hij knalde, sputterde en knalde toen weer. Gordon probeerde wanhopig meer gas te geven, maar de motor sloeg ineens af. Hij gleed nog even een stukje door en kwam toen tot stilstand.

'Wat is er gebeurd?' Lily sprong van de motor af en trok haar helm van haar hoofd. Gordon gooide zijn helm in de sneeuw en schopte woedend tegen de uitlaat. Maar er was niets aan te doen. De benzine was op.

'Wat nu?' vroeg Lily. Gordon haalde zijn schouders op. Hij had zich alleen met de ontsnapping beziggehouden en er totaal niet aan gedacht te kijken of de motor genoeg benzine had.

'Ik heb het koud,' klaagde Kristel. Ze stampte met haar voeten en rilde.

'Als dat jouw tanden zijn die klapperen, dan maken ze erg veel lawaai,' vond Lily.

Gordon keek op van de motor. 'Dat zijn niet haar tanden.' Hij luisterde even en het geluid ging over in een onheilspellend gezoem dat steeds luider werd. Opeens werd de duisternis verbroken door gele zoeklichten. In een strakke formatie kwam een groep donkere vormen aangevlogen over de top van de berg.

'Helidraken!' schreeuwde Gordon. 'Het zijn gevechts-helidraken!'

11

De aanval van de helidraken

Kristel keek verbaasd op. 'Draakjes! Baby-draakjes!'

'Dat zijn geen draakjes,' snauwde Gordon. 'Het zijn helidraken: vliegende gevechtsmachines. Snel. Daarheen, achter die rotsen. Schiet op!'

Ze holden van de weg af en begonnen door de sneeuw te ploeteren naar een paar rotsen aan de voet van een steile wand. Lily zakte tot haar middel in een berg sneeuw. Gordon stopte om haar eruit te trekken. De kleine draken kwamen almaar dichterbij. Eentje maakte zich los uit de formatie en dook laag over hen heen. Een vreemde geur vulde de lucht, als van een auto-uitlaat, en een straal vuur spoot uit zijn vleugels. Er klonk een knal en er spetterde gesmolten sneeuw van de overhangende wand. Gordon gaf Lily een laatste, stevige ruk en ze viel voorover uit de sneeuwhoop. Ze klauterde overeind en samen renden ze naar de rotsen.

Achter hen ontplofte een bom en sneeuw vloog alle kanten op. De bom liet een zwarte krater achter. Er volgde nog een explosie, en nog één. Een rondvliegend stuk ijs sneed Gordon in zijn wang, en Lily werd omver gegooid door naar beneden vallende sneeuw. Ze dachten dat het bombardement nooit zou ophouden, maar toen liet de laatste helidraak zijn bom vallen. Hij vloog laag over – zo laag dat Lily de piloot kon zien zitten achter de gloeiende mechanische ogen van het wezen– en zoemde weg om zich bij zijn makkers te voegen.

'Hun bommen kunnen ons niet raken hier onder de overhangende rotswand,' zei ze. 'En ze zijn te zwaar om op de sneeuw te landen.'

'De helidraken zijn niet ontworpen om hier te vechten,' zei Gordon. 'Ze zijn gebouwd voor

de invasie van Asrijk. Kijk uit, ze komen terug.'

De helidraken hadden zich verderop opnieuw gegroepeerd en kwamen nu als een
zwerm boze wespen op hen af. Dit keer begonnen de bommen ver boven hun hoofd te
ontploffen. Bij de derde explosie kletterde er
een aantal kleine rotsen naar beneden, gevolgd
door een rotsblok ter grootte van een leunstoel.
Toen brak, met een enorm geraas en gedonder,
een enorm stuk van de rotswand. Het stuiterde
twee keer, sneeuw en grind spatten op, de rots
schoof even door en kwam vlak voor hen tot
stilstand. Iedereen gilde en zocht dekking.

'Ze gaan ons vermoorden!' jammerde Kristel. Er tuimelden nog steeds kleinere rotsen omlaag; ze waren stuk voor stuk groot genoeg om iemands hersenpan in te slaan. Lily klemde zich vast aan een uitstekende rots. Ze voelde zich licht in haar hoofd.

'Nee,' zei Gordon opeens. 'Dat kan niet. Kijk, de grote overhangende rotswand heeft ons beschermd. Zolang ze niet de hele berg laten instorten, zijn we nog even veilig.'

'Maar ze zullen het niet opgeven, hè?' vroeg Lily.

Gordon schudde zijn hoofd. 'Nee, generaal Sark zit achter me aan. Hij wil niet dat ik ontsnap en mijn vader bereik.'

Lily kwam weer een beetje bij. 'We kunnen hier niet blijven wachten,' zei ze. 'Dan vriezen we dood.'

'We gaan al eerder dood,' zei Gordon. 'Sark zal nu zijn grondtroepen sturen. Zij hebben ski's en sneeuwmobielen. Ze zijn gewend aan dit soort weer. Ik schat dat we hooguit een halfuur hebben.'

Er viel nog een bom boven hun hoofd, en nog een. Toen hoorde Lily de helidraken weer wegvliegen. Hun vreemde gezoem nam af tot het weer doodstil was in de bergen. Onder haar vliegeniersjas voelde ze haar drakenschubben tintelen.

'We hebben Koningin Draak nodig,' zei ze langzaam. 'Die drakendingen zijn van metaal en ze zijn niet erg groot. Koningin Draak kan ze in één hap opeten, net als ze gedaan heeft met de auto van juffrouw Maldiva. Ik denk dat wij haar moeten proberen te vinden.'

'Maar we hebben geen motor meer,' meldde Kristel.

'Ik heb het niet over de motor,' zei Lily. 'Luister: afgelopen winter, toen we samen op Skane woonden, heeft Koningin Draak me de Drakenoproepschreeuw geleerd. Dat is een magische kreet die een draak slaakt als zijn leven in dodelijk gevaar is. Als Koningin Draak hem hoort, komt ze ons meteen helpen.'

Kristel was razend. 'Bedoel je dat je ons al eerder uit deze penarie had kunnen halen?'

'Als er geen andere draak op gehoorsafstand is, kaatst de schreeuw terug op degene die hem geschreeuwd heeft,' legde Lily uit. 'Hij is zo krachtig, dat hij me zou kunnen doden.'

'Als je die kreet nu niet slaakt, dan zullen de helidraken je zeker doden,' zei Kristel. 'Dus wat houdt je tegen?'

'Niets,' zei Lily waardig. Ze klom boven op de rots en deed haar ogen dicht.

Lily voelde de koude wind op haar gezicht, de zachte ijzige streling van de sneeuwvlokken, en wachtte tot ze rustig werd. Ze prentte zich in dat ze een draak was. Ze voelde de schubben op haar elleboog tintelen en stelde zich voor hoe deze zich verspreiden over haar hele lichaam. Toen voelde ze het drakenvuur in zich oplaaien en had ze het niet langer koud. Diep van binnen vormde de Drakenoproepschreeuw een stroom van rook en vuur. Het kolkte in haar binnenste en golfde omhoog tot Lily hem niet langer binnen kon houden. Ze deed haar mond open en de schreeuw weergalmde over de bevroren bergen, van top naar top, dal naar dal. Een rauwe, prachtige klank die geen menselijke keel ooit had kunnen voortbrengen, een geluid uit de wereld van de draken, die lang geleden verdwenen was.

De schreeuw werd steeds zachter. Even was het doodstil. En toen, terwijl Lily's verkleumde metgezellen doodsbang stonden af te wachten tot er iets gebeurde, kwam er een antwoord: een lager geluid, een kreet van liefde en hulp die alleen maar uit een drakenkeel had kunnen komen.

Lily deed haar ogen open. Ze stond heel stil en staarde nietsziend naar de anderen. Toen viel er zachtjes een vlokje sneeuw op haar wang. Ze streek het weg.

'Het komt goed,' zei ze. 'Ze heeft ons gehoord. Ze komt er meteen aan.'

Lang voor de eerste sneeuwmobielen bij de voet van de rotswand aankwamen, waren de vluchtelingen verdwenen. Ze hadden alleen wat voetstappen achtergelaten en een groot stuk gesmolten sneeuw waar Koningin Draak geland was. Zelfs Gordons motor was verdwenen. Koningin Draak was hongerig wakker geworden na haar lange slaap in de grot en had beleefd aan de eigenaar gevraagd of ze hem op mocht eten. Gordon was zo overdonderd door haar aanblik, dat hij geen nee had durven zeggen.

'Moeder, hoe kon u,' raasde Angeline toen ze allemaal verzameld waren in de grot. 'Iemand zou u op moeten sluiten, zodat u geen idiote streken meer kunt uithalen.'

Kristel snoof: 'Waag het niet, jongedame.'

'Op een dag waag ik het misschien wel. Voor uw eigen bestwil,' zei Angeline. 'U had wel dood kunnen gaan.'

'Ja, daar zou je wel eens gelijk in kunnen hebben,' zei Kristel bedachtzaam, en ineens drong de ernst van wat er gebeurd was tot haar door. Ze ging met een plof zitten en barstte in tranen uit.

In een beschut stukje van de grot zette Leopold een picknick klaar op een deken. In een andere hoek zat Gordon met zijn hoofd in zijn armen. Bij de opening van de grot bakten Lily en Koningin Draak worstjes. Koningin Draak moest voor het vuur zorgen, wat makkelijker gezegd dan gedaan was in zo'n kleine ruimte.

'Auw, zet het lager, lager!' gilde Lily. Ze liet de pan met een klap op de grond vallen. Een paar stukjes verbrand brood vielen op de grond. Ze raapte ze weer op. Tenslotte was alles gaar en gingen de reizigers zitten om te eten. Vanwege de onverwachte gasten, was er niet echt genoeg, maar Lily had zo'n honger dat ze blij was met elke hap. Gordon at bijna helemaal niets. Halverwege de maaltijd stond hij plotseling op en ging in zijn eentje bij de ingang van de grot zitten.

'Ik denk dat we nu maar terug moeten gaan naar Asrijk,' zei Leopold toen ze alles hadden opgegeten. 'Lily, de missie is waarschijnlijk niet geslaagd, hè?'

'Jawel, de blauwe lelie zit in mijn zak,' zei Lily. 'Maar we kunnen nog niet terug naar Asrijk, Majesteit. Meneer Hartman zit nog gevangen in de citadel.'

Er viel een ongemakkelijke stilte.

'Lily,' zei Angeline zacht, 'het spijt me erg, maar ik moet je vertellen dat... het lijkt erop dat meneer Hartman al jaren op en neer reist naar de Zwarte Bergen. Hij is een spion.'

Lily keek van Angeline naar Leopold. Hun gezichten stonden zo ernstig dat Lily begreep dat ze het meenden.

'Dit moet een vergissing zijn,' zei Lily. 'Dat zou meneer Hartman nooit doen.'

'Het is geen vergissing, Lily,' zei Leopold. 'We hebben aantekeningen gevonden in zijn dagboek in Asrijk.'

'Maar meneer Hartman heeft me verteld dat hij al eerder in de Zwarte Bergen is geweest op zoek naar iemand,' riep Lily uit. Ze herinnerde zich nog iets anders. 'Dat vertelde hij me bij de Drakenondergang toen hij mijn leven redde. Hij zei dat hij aan een heel speciaal iemand dacht die hij kwijt was geraakt. Door de herinnering aan haar kon hij de magie weerstaan.'

Angeline weifelde. 'Ik heb meneer Hartman nog nooit over een speciaal iemand horen praten.'

'Dat betekent niet dat zij niet bestaat.' Lily leunde naar voren. 'Snap je het dan niet? Dat moet de reden zijn geweest waarom hij hier naartoe ging!' Ze draaide zich naar Leopold. 'Dat moet het zijn. Echt!'

'Misschien,' zei Leopold. 'Maar, Lily, zelfs als het zo is, dan kunnen we nog steeds niets doen. Meneer Hartman zit in de Zwarte Citadel. We kunnen hem daar onmogelijk uit bevrijden.'

'Dat kan wel. Ik weet het zeker. Ik ga zelf wel.'

'Nee!'

'Meneer Hartman zou dat ook voor mij gedaan hebben!'

'Lily, ik zei nee.' Leopold sprak met zijn strengste, koninklijkste stem. 'Het is veel te gevaarlijk. Ik ben de koning van Asrijk en jij bent mijn eigen Quench, en ik beveel je me te gehoorzamen.'

Iedereen keek geschokt, zelfs Koningin Draak. Het was de eerste keer dat Leopold Lily een heus bevel gaf. Toen sprong Kristel ineens overeind en begon te krijsen.

'Mijn bontjas! Mijn bontjas is weg! Waar is Gordon? Die kleine rotzak heeft mijn bontjas gestolen!'

'Rustig, Kristel. Rustig maar,' zei Leopold. 'Gordon zat net nog bij de ingang. Hij heeft hem waarschijnlijk geleend omdat hij het koud had.'

'Daar zou ik maar niet zo zeker van zijn.' Angeline liep naar de ingang van de grot en keek naar buiten, waar het stevig sneeuwde. 'Ik zie hem nergens en er lopen voetstappen de berg af. Volgens mij is hij weggelopen.'

12

De Drakenondergang

Gordon was verdwenen. Niemand wist waar hij naartoe was, maar Lily kon het wel raden. Omdat hij niet terug kon naar de citadel, moest hij de andere kant op, over de oostelijke helling van de Drakennek en naar beneden de Drakenondergang in. Lily kon zich niet voorstellen wat hij daar wilde doen. Misschien had hij niet helder nagedacht toen hij weg ging. Hun enige hoop was hem te vinden voordat hij te ver weg was.

Gordon had geen eten en geen warme kleren bij zich, behalve dan Kristels bontjas. Hij had alleen Lily's zaklantaarn mee, die hij die middag in de Zwarte Citadel in zijn zak gestopt had. Niemand begreep waarom hij vertrokken was. Behalve misschien Leopold.

'Gordon is de zoon van de Zwarte Graaf,' zei hij. 'Hij weet hoe waardevol hij is als gijzelaar. Geef toe, Angeline, je hebt vast overwogen hem mee te nemen naar Asrijk om zo de graaf te dwingen ons niet binnen te vallen.'

Angelines wangen werden net zo rood als de schubben van Koningin Draak. 'We zouden hem geen kwaad hebben gedaan,' verdedigde ze zichzelf.

'Dat weten wij wel, maar Gordon niet. Hij is bang en hij vertrouwt ons niet. Hij is alleen maar met Lily meegegaan omdat hij niet anders kon. Iemand moet achter hem aan gaan om hem te zoeken.'

'Hij is te voet en kan nog niet ver zijn,' zei Lily. 'Koningin Draak en ik zullen hem gaan zoeken.'

Koningin Draak keek somber. 'Ik was al bang dat je dat zou zeggen,' zei ze.

'Doe niet zo raar, Koningin Draak.' Lily was haar spullen al aan het inpakken. 'Ik ga met je mee. Je loopt geen enkel gevaar.'

'Jij hebt makkelijk praten,' zei Koningin Draak, maar ze protesteerde niet meer. Even later vertrokken Lily en zij. Ze vlogen een rondje om de Drakennek en verdwenen toen in het duister.

Gordon was uitgeput. Hij had een lange, beangstigende dag achter de rug, hij was hongerig en had het ijskoud. Tijdens zijn tocht door het donker had hij een aantal keer willen stoppen om te rusten, maar hij had te veel afschuwelijke verhalen gehoord over mensen die in slaap vielen en dan doodvroren om stil te blijven staan. Maar hij bleef vooral doorlopen omdat hij zo ver mogelijk weg wilde zijn van de grot in de Drakennek. Gordon was bang. Hij was bang voor generaal Sark, die het ondenkbare had gedaan en in opstand was gekomen tegen zijn vader. Maar hij was ook bang voor Lily Quench en haar vrienden: Kristel met de koude ogen, en Leopold en Angeline die beweerden koning en koningin van Asrijk te zijn, dat vreemde landje waar alle problemen begonnen waren.

Toen hij de grot verliet, had Gordon zichzelf aangepraat dat Leopold en Angeline samenspanden met generaal Sark. Diep van binnen wist hij wel dat dit niet waar was. Sark was deze actie duidelijk al jaren aan het plannen. Maar Leopold zag er zo verschrikkelijk eerlijk uit, dat Gordon ervan overtuigd was dat hij ongelooflijk sluw moest zijn. En de manier waarop Angeline hem aankeek, bracht hem danig in verwarring, alsof ze recht in zijn hart keek. En wat betreft Koningin Draak... Het gemak waarmee ze zijn motor had opgepeuzeld, bezorgde hem rillingen. Koningin Draak was dood- en doodeng. Hij moest hoe dan ook zijn vader vinden om hem te vertellen hoe gevaarlijk zij was.

Tegen de tijd dat de zon opkwam, waren de batterijen in Lily's zaklantaarn bijna leeg. Gordon had een flink stuk gelopen, maar hij was verdwaald. Hij ging tegen een rots zitten en at wat sneeuw en een plakkerig snoepje dat hij in een van Kristels jaszakken had gevonden. Het was een mager ontbijt, maar hij voelde zich er iets beter door, en de bleke winterzon vrolijkte hem op. Na even gerust te hebben, ging hij weer verder. Gordon wist niet precies waar hij was, maar hij dacht dat hij in een van de valleien ten noorden van de Drakennek moest zijn. Vroeg of laat zou hij wel iemand tegenkomen die hem kon helpen.

Vijf minuten later zag hij een vreemde steen voor zich. De steen was erg hoog en had een gat in het midden. Voor het eerst sinds hij uit de grot was vertrokken, kreeg Gordon het idee dat zijn tocht in het donker hem ergens had gebracht waar hij niet heen wilde. Gordon herinnerde zich Lily's verhaal over het plukken van bloemen in het Dal van de Drakenondergang. Toen had hij gedacht dat ze loog. Nu hoopte hij wanhopig dat ze de waarheid had verteld.

Lily en Koningin Draak hadden urenlang naar Gordon gezocht. Heen en weer, op en neer,

Koningin Draak vloog over sneeuwvelden en
hellingen, terwijl Lily het landschap afzocht
met haar nachtkijker. Maar ze zag geen bewe-
ging tegen het wit, geen donkere schaduwen
of sporen in de sneeuw, niets dat er op wees
dat Gordon hier langs was gekomen. Toen
het ochtend werd en er nog altijd geen teken
van hem was, waren de redders koud, moe en
wanhopig.

'Laten we even rusten,' zei Koningin Draak
en ze landde op een stuk rots. Lily klauterde
naar beneden. Ze was stijf van het lange zitten.

'Ik hoop dat het goed gaat met Gordon,' zei
ze. 'Als hij maar niet in een rotsspleet gevallen
is.'

'Als dat gebeurd is, zullen we hem nooit vinden,' zei Koningin Draak. 'Maar als je het mij vraagt, weet die kleine engerd precies wat hij doet. Het zou me niet verbazen als hij vrienden heeft die hem helpen. Wij kunnen maar het beste deze rotplek verlaten en snel naar huis gaan.'

'Naar huis gaan? Echt niet!' zei Lily. 'Koningin Draak, wat ben je toch een lafaard. Moet je jezelf eens zien. Een draak zo groot als een huis en je gedraagt je als een laffe worm.'

Koningin Draak kwam overeind. Haar gele ogen rolden wild heen en weer. 'Dat moet je niet zeggen, Lily. Dat is niet aardig.'

'Maar het is wel waar.' Lily was moe en chagrijnig. Voor het eerst sinds ze uit Asrijk vertrokken was, werd ze kwaad. 'Vanaf het moment dat koning Leopold deze missie voorstelde, gedraag je je als een klein kind. Je zegt dat je niet kunt gaan en je zit te beven en trillen van kop tot staart. Maar je hebt me nooit verteld waar je toch zo bang voor bent. Ik heb het gehad, Koningin Draak. Ik denk dat het gewoon een smoesje is.'

'Het is geen smoesje,' zei Koningin Draak gekwetst. 'Het is echt. Maar ik kan het je niet vertellen. Het is een geheim. Een drakenge-heim. Daarom kan ik het je niet vertellen, Lily. Wat hier gebeurd is, is een geheim dat alleen draken mogen weten.'

'Een geheim dat alleen draken mogen we-ten?' Lily haalde haar arm uit haar jas en schoof haar mouw omhoog. 'En wat is dit dan? Kijk eens naar die schubben op mijn elleboog. Dat zijn drakenschubben, net als die van jou. De Quenches en de draken zijn misschien wel eeuwenlang vijanden geweest, maar wij zijn nu vrienden en zullen dat altijd blijven. En vrienden hebben geen geheimen voor elkaar.'

Koningin Draak staarde naar het glimmen-de stukje geschubde huid op Lily's arm. Het glansde in het maanlicht, bleek en vleeskleu-rig, maar het was toch echte drakenhuid.

Het zag eruit, dacht Lily, als het zachte vel op de buik van een babydraak. En toen vroeg ze zich af waar die gedachte vandaan kwam. Ze had nog nooit een babydraak gezien. Maar ze wist dat het klopte. Tussen de Quenches en de draken waren nauwelijks verschillen. Daarom waren de Quenches zo lang zulke goede drakendoders geweest.

Een drakentraan viel – splets – op de rots voor haar, als een emmer kokend water. Maar Lily dook of rende niet weg. In plaats daarvan klom ze op de grote snuit van Koningin Draak en ging op de hete, ruwe schubben zitten. Ineens werd het helemaal stil om haar heen. De pupillen van Koningin Draaks ogen werden groot tot ze gevuld waren met een duisternis die zo diep was dat Lily het gevoel had dat ze erin verdronk.

Er verscheen een plaatje in Koningin Draaks ogen. Eerst zag het eruit als een oude film met onscherpe, schokkerige beelden, maar toen werden ze scherp en duidelijk. Lily zag de Zwarte Bergen zoals die er duizenden jaren geleden uitzagen. De lucht was gevuld met vechtende draken. Ze knalden midden in de lucht tegen elkaar op, beten met hun scherpe tanden in elkaars vlees, bestookten elkaar met vuur zo heet dat ze als verkoolde skeletten uit de lucht vielen en kapotsloegen tegen de grond. Het regende bloed op de rotsen van de Drakenondergang en de kokende rivier beneden was gevuld met dode en stervende draken. Alleen de alleroudste en -jongste draken die niet konden vechten, hadden de Grote Drakenoorlog overleefd.

Het beeld vervaagde langzaam in Koningin Draaks ogen. 'Ik heb je gezegd dat dit een slechte plek was, Lily,' zei ze met een klein, verdrietig stemmetje. 'Nu weet je waarom. De Grote Drakenoorlog vond plaats toen ik nog maar net uit het ei was. Daarna is geen enkele draak die naar de Drakenondergang ging, levend teruggekomen.'

Lily legde een troostende hand op de kop van Koningin Draak. 'Nee, Koningin Draak,' zei ze, 'dat is niet waar. Ík ben teruggekomen. En als ik de Drakenondergang kan overleven, dan kan jij het ook.'

Gordon stond naast de steen met het gat erin en hoorde het gezoem van helidraken. Hij was ontdekt.

Hij keek omhoog. Een rij donkere vlekken kwam door de winterse lucht op hem afgevlogen. In de enorme witte vlakte om hem heen kon hij zich nergens verstoppen. Gordon herinnerde zich hoe spannend hij het had gevonden toen hij met zijn vader de helidrakenfabriek had bezocht. Nu had hij een misselijk gevoel in zijn maag. Gordons handen zweetten in zijn zakken. De bitterkoude berglucht leek hij te kunnen proeven en ruiken alsof niets anders ooit zo vers, zo kostbaar, zo lekker was geweest.

De helidraken kwamen als kwaadaardige insecten op hem af. Ze zouden hem nu moeten kunnen zien, een klein donker doelwit in de sneeuw. Toen zag Gordon tot zijn verbazing dat er een nieuwe, grotere helidraak stilletjes achter de rest verscheen. Hij vloog veel sneller dan de anderen en was niet zwart, maar rood. Boven op de kop zat een klein figuurtje. Opgewonden herkende Gordon Lily en Koningin Draak, die een enorme straal vlammen naar buiten spoot.

Met een verschrikkelijk mechanisch gepiep en geknars stortten de zwartgeblakerde restanten van de achterste drie helidraken op de grond, waarbij een fontein van ijs en gesmolten sneeuw opspatte.

De rest van de formatie werd hierdoor ineens tot actie gedwongen. Ze vlogen alle kanten op, maar Koningin Draak was te groot, te snel en te beweeglijk. Als een kikker die vliegen vangt op een lelieblad, slokte ze de volgende drie helidraken snel op en toen de laatst overgebleven helidraak op haar begon te schieten, knipperde ze alleen even met haar ogen. De machtige dieprode staart van Koningin Draak zwiepte een keer omhoog, alsof ze een mug wegjoeg, en de laatste aanvaller ontplofte in de lucht.

Gordon schreeuwde van opwinding. Toen herinnerde hij zich ineens dat Koningin Draak en haar vrienden net zo zeer zijn vijanden waren als generaal Sark. Hij draaide zich om en begon over de besneeuwde helling naar de rand van het ravijn iets verderop te rennen.

'Gordon! Gordon, stop!' riep een bekende stem. Maar Gordon stopte niet. Een andere stem riep hem vanuit het ravijn. Een zachte stem als van een jong kind, helder en lief. Voetstappen klonken in de sneeuw achter hem en de lieflijke stem zei dat hij door moest gaan, sneller, omdat ze hem bijna te pakken hadden. De rand was vlak voor hem toen iemand op hem dook en hij viel. Gordon schopte en sloeg met zijn laarzen en vuisten, maar zijn achtervolger greep zijn polsen vast met een ijzeren greep en trok hem terug van de rand. Een harde stem riep zijn naam en de mist onder hem verdween. Hij zag de duizelingwekkende afgrond en de scherpe rotsen in de diepte en toen keek hij op in het gezicht van zijn redder.

Het was zijn vader.

13
De Zwarte Graaf

'Dag vader,' zei Gordon stom. Hij draaide zijn hoofd om en zag toen pas hoe dicht hij bij de rand van het ravijn lag. Onder hem stond iets kleins en goudkleurigs op een rotsrichel. Het zag eruit als een standbeeld, maar de fijne nevel van de stroomversnellingen beneden belemmerde hem het zicht.

De graaf stond op. Zijn donkere generaalscape wapperde in de wind. Gordon, die zich weer kon bewegen, rolde weg van de rand en kwam overeind.

'Hoe ben je hier gekomen?' vroeg hij.

'Met een helidraak,' zei de graaf. 'Julia heeft me een bericht gestuurd waarin ze vertelde

wat Sark gedaan heeft. Ze wachtte me buiten de citadel op, en toen ik aankwam zijn we de andere helidraken gevolgd naar dit dal.'

'Generaal Sark.' Gordon keek verschrikt. 'Vader, de opstand...'

Gordons vader onderbrak hem. 'Het stelt niets voor, Gordon. Onze familie regeert al eeuwenlang over het Zwarte Rijk. Dat mag je nooit vergeten. Er is meer dan iemand als Sark voor nodig om dat te veranderen.' Hij keek rond. 'Dus dit is de Drakenondergang. Ik begrijp niet goed waarom de mensen zo bang zijn voor deze plek.'

'Het is een slechte plek,' zei Gordon rillend. 'Hoorde je dat ding daar beneden niet roepen dat je moest springen?'

'Natuurlijk niet' zei de graaf. 'Het is maar een standbeeld. En slechtheid bestaat niet, Gordon. Dat zeg je alleen maar omdat je bang bent.'

Gordon zei niets. Hij wilde graag geloven wat zijn vader zei, maar na de gebeurtenissen van de afgelopen dagen kon hij dat niet meer. Want slechtheid bestond wél. Daardoor hadden Jacobsen en Hendriks geprobeerd hem te vermoorden tijdens de hindernisbaan, en daardoor had Sark geprobeerd de macht over te nemen. En ontelbaar veel jaren geleden had iets heel slechts dat gouden beeld gemaakt, een slechtheid die gebruikmaakte van de zwakheden van mensen en hen de dood in lokte. Alleen mensen die vol liefde waren, konden de lokroep weerstaan. En alleen mensen die net zo gemeen waren als de slechte magie merkten er niets van. En dat betekende... Verward keek Gordon naar zijn vader met een onuitgesproken vraag op zijn lippen. Maar de graaf keek de andere kant op. Koningin Draak en Lily waren hoger op de berghelling in de sneeuw geland. Daar stonden ze te praten met een vrouw met een bekende blauwe jas aan.

'Julia!'

Julia hoorde Gordons stem en keek op. Ze begon naar beneden te lopen. Toen hij haar zag, voelde Gordon een golf van opluchting en liefde. Hij wilde naar boven rennen en haar een enorme knuffel geven. Als zijn vader er niet bij was geweest, had hij dat misschien ook wel gedaan.

Julia kwam naar Gordon en zijn vader toe. Haar glimlach vertelde Gordon dat zij aan hem dacht en dat ze blij was dat alles goed met hem was. Ze sloeg haar arm om zijn schouders en woelde liefdevol door zijn haar. Toen ging ze nieuwsgierig naar de rand van de afgrond en keek naar het beeld op de richel eronder. Er liep weer een rilling langs Gordons rug. Dit keer wist hij zeker wat het betekende.

'Wat nu?' vroeg hij om maar iets te zeggen.

Julia keek naar de graaf. Maar voor Julia of de graaf konden antwoorden, werden ze on-

derbroken door het gesnor van een sneeuwmobiel die aan kwam rijden. Gordon zag hem de
heuvel over komen. Lily rende naar Koningin
Draak die paniekerig met haar vleugels flapperde.

De sneeuwmobiel, slank, zwart en nieuw,
gleed over de heuvel en stopte vlak bij hen.
Hij zag eruit als eentje die Gordons vader gebruikte, maar het wapen op de zijkant was ver-
vangen door een ander. De deur ging open en
er viel een geboeide gevangene uit. Lily gilde,
Julia werd spierwit en Koningin Draak slaakte
een hoge kreet van schrik.

'Meneer Hartman!'

'Niet bewegen!' Vier soldaten van de Zwarte Brigade sprongen uit de sneeuwmobiel en
richtten hun wapens. Toen ging de achterste
deur open en klom generaal Sark naar buiten.

'Zo, zo,' zei hij onaangenaam. 'Dus hier ben
je. Je hebt me veel problemen bezorgd, Gordon. Ik heb je overal gezocht. En dan vind ik
je vader ook nog hier! Ik had niet verwacht dat
ik zoveel geluk zou hebben.

Als jij of mejuffrouw Quench dichterbij komen, hagedis,' riep hij tegen Koningin Draak, 'wordt jullie vriend meneer Hartman in het ravijn geworpen. Begrepen?'

Lily knikte en Koningin Draak hield op met flapperen. Gordon keek naar de gevangene die in de sneeuw lag en herkende de man die hij tegelijk met Lily gevangen had genomen. Zijn bril was kapot en zijn gezicht was bedekt met schrammen, maar vreemd genoeg glimlachte hij. Toen realiseerde Gordon zich met een schok dat hij naar Julia keek. Julia keek op haar beurt verbaasd naar de gevangene.

'Je leeft nog,' zei ze zacht. 'Ze zeiden tegen me dat je dood was, maar ik heb altijd gehoopt dat je me zou vinden.'

'Ze hadden mij ook gezegd dat je dood was,' zei meneer Hartman liefdevol. 'Maar ik heb nooit de hoop opgegeven dat ik je weer zou vinden. En nu kan ik je mee terug nemen naar Asrijk.'

'Asrijk!' De blik op Julia's gezicht toen ze dat zei, gaf Gordon het gevoel dat hij doodging.

Alsof iemand een mes in hem had gestoken en dat nu ronddraaide in zijn hart. Hij had altijd gedacht dat Julia van hém hield. Maar nu ging ze weg. Zonder ook maar op of om te kijken ging ze terug naar dat piepkleine rotlandje en hij zou haar nooit meer zien.

'Nee!' brulde hij. 'Dat kun je niet maken. Je kunt me niet alleen laten. Dat heb je beloofd!'

Julia keek geschrokken op. 'Gordon, wat bedoel je? Dit is mijn man.'

'Kan me niet schelen!' krijste Gordon. 'Je mag geen man hebben. Alleen als ik het zeg. Je mag niet van iemand anders houden dan van mij!'

'Maar, Gordon, ik houd ook van jou...' begon Julia, maar Gordon luisterde niet meer naar haar. Hij werd witheet van woede. Met een schreeuw van razernij sprong hij naar voren en vloog haar aan, daar op de rand van de afgrond.

Julia viel om. Lily gilde, meneer Hartman schreeuwde, en Julia slaakte een doordringende kreet toen ze over de rand gleed. Alleen de graaf hield het hoofd koel. Temidden van de wirwar van mensen boven op de rotswand wist hij de kraag van Julia's blauwe jas te grijpen en hield die stevig vast.

Wat er toen gebeurde, ging zo snel dat Gordon het niet precies kon navertellen. Op het ene moment bungelde Julia over de rand en graaide ze naar een houvast, het volgende moment had ze de rotsrand vast en probeerde de graaf haar omhoog te trekken. Toen hoorde Gordon een gerommel in het ijs onder hem en sprong naar achteren. Julia greep de rotsrand ook met haar andere hand vast en begon omhoog te klauteren, maar de graaf stond nog op een smalle strook van alleen maar ijs en samengeperste sneeuw.

'Vader, kijk uit!' schreeuwde Gordon. De graaf draaide zich om en wilde springen. Terwijl hij dat deed zag Gordon zijn gezicht. Hij zag geen angst, geen woede, geen wanhoop, maar er flikkerde een vreemde blik in de ogen van de graaf. Op dat moment vond er tussen hen iets verschrikkelijks, iets donkers en kostbaars plaats. Woorden vormden zich op Gordons lippen, maar hij sprak ze niet uit. Toen, voor de graaf zich in veiligheid kon brengen, brak de ijsrand onder zijn gewicht af. Hij verdween in een geraas van brekend ijs en sneeuw, en het geluid ging voor altijd verloren in het oorverdovende gebulder van de rivier beneden.

'Nee!' schreeuwde Gordon. 'NEE!'

Hij draaide zich om, brak door de rij verwarde soldaten en rende weg, de helling op. Generaal Sark snauwde een bevel, waarop twee soldaten de achtervolging inzetten. Maar ze konden hem niet meer tegenhouden. Net toen zijn achtervolgers hem bijhaalden, bereikte Gordon de steen met het gat. Hij dook erin. Een van de soldaten greep hem bij zijn enkel, maar hij schopte naar achteren en de soldaat hield alleen nog maar een laars vast. Gordon wurmde zich door het gat… en was spoorloos verdwenen.

'Volg hem!' brulde Sark. 'Achter hem aan!' Maar de soldaten waren niet zó dom. Ze stonden even te kijken naar het gat in de steen. Een van hen stak zijn hand erin en trok het met een schok terug, alsof hij gestoken was.

Meneer Hartman krabbelde overeind. 'Ik zou hen niet dwingen daar doorheen te gaan, als ik jou was,' zei hij tegen Sark. 'Je weet namelijk niet zeker of ze op dezelfde plek uitkomen als Gordon. En het is zeer onwaarschijnlijk dat ze terug kunnen komen. Deze stenen zijn betoverd. Ik weet alleen dat het iets heel slechts is dat is neergezet voor slechte doeleinden.'

'Net als het Gouden Kind,' zei Lily, die naar voren stapte. 'Heeft u het gezien, generaal?'

Sark keek haar wantrouwig aan. 'Het gouden wat?'

'O, het stelt niets voor,' zei Lily. 'Gewoon een standbeeld gemaakt van puur goud, daar in het ravijn.'

Sark nam een stap in de richting van het ravijn. Lily hield haar adem in. Maar op het laatste ogenblik veranderde de generaal van gedachten. Hij gooide zijn hoofd achterover en lachte.

'Ha! Een gouden beeld? Daar, midden in de bergen? Denk je dat ik zo stom ben om dat te geloven?'

'Misschien niet,' zei meneer Hartman. 'Maar ik weet wel dat je stom genoeg bent om je sneeuwmobiel neer te zetten op een plek waar een hongerige draak hem kan vinden.'

Achter hen klonk een luid gekraak. Sark en zijn soldaten wierpen één blik op Koningin Draak die hun sneeuwmobiel aan het opeten was en begonnen te rennen voor hun leven. Meneer Hartman riep hen na: 'Een lift naar huis kunnen jullie wel vergeten.'

'Voorzichtig, Koningin Draak,' waarschuwde Lily haar. 'Je komt erg dicht bij de rand. We moeten buiten het bereik van het Gouden Kind blijven.'

'Maakt niet uit, Lily,' stelde Koningin Draak haar gerust. 'Ik had alleen een beetje honger. Weet je, deze plek is helemaal niet zo erg als ik dacht. Als we nu nog van dat beeld af kunnen komen…'

'Misschien kunnen we dat wel,' zei Lily. 'Op

dit moment is alles mogelijk. Ik kan niet wachten om Leopold te vertellen dat er geen Zwarte Graaf meer is.'

Maar Julia schudde haar hoofd. 'Nee, Lily,' zei ze ernstig. 'Dat heb je mis. Er is nog steeds een Zwarte Graaf. Zijn naam is Gordon en hij is nog geen tien minuten geleden door het gat in de steen gekropen.'

14
Koning Draak

Als een draak doodgaat, veranderen zijn botten langzaam in steen en zijn schubben in glasscherven. De rivier die door de Drakenondergang liep, was de begraafplaats van alle draken die tijdens de Grote Drakenoorlog omgekomen waren. Het Gouden Kind had hen hierheen gelokt, en hun hebzucht, angst en woede hadden hen tegen elkaar opgezet. Nu lagen hun glazen schubben verspreid over de puntige rotsen en hun botten waren de stenen die stroomversnellingen in de rivier vormden.

Lily zette de capuchon op van de vuurvaste mantel die nog van haar drakendodende voorouder, Gekke Bernard Quench, was geweest.

Ze klom op de kop van Koningin Draak. 'Je kunt het, Koningin Draak,' fluisterde ze. 'Ik weet het zeker.'

'Ik hoop het.'

Terwijl meneer Hartman en Julia vanaf een veilige afstand toekeken, stegen Koningin Draak en Lily op en vlogen naar de rivier. Onder zich zagen ze alleen ijs en sneeuw en scherpe zwarte rotsen. Vanuit de lucht zag Lily duidelijk de stenige skeletten van de dode draken, die in gebogen lijnen op de bodem van de kloof lagen. Het waren er zo veel dat ze ze onmogelijk kon tellen. Vastbesloten richtte ze haar ogen op de rotswand voor haar. Halverwege stond het Gouden Kind haar te wenken in het zonlicht. Het was moeilijk voor te stellen hoe het daar ooit was neergezet. Er was vast tovernarij aan te pas gekomen die net zo sterk en slecht was als het ding zelf.

Dichterbij, nog dichterbij... Koningin Draak zou de dodelijke roep van het Gouden Kind elk moment kunnen horen. Lily streek over haar schubben en sprak bemoedigend in haar oor. Opeens rilde Koningin Draak.

'Ik kan het niet, Lily. Ik kan het niet.'

'Wel waar, Koningin Draak. Je kunt het!' schreeuwde Lily. 'Je moet het doen. Voor alle draken die zijn omgekomen. Denk aan hen!'

Koningin Draak kreunde en fladderde zwak met haar vleugels. Ze begonnen hoogte te verliezen, stortten omlaag in de richting van de rivier en de dodelijke rotsen. Eventjes dacht Lily dat ze er geweest waren. 'Nu!' krijste ze. 'Doe het nu, Koningin Draak! Denk aan mij!' En op het laatste moment vloog Koningin Draak weer omhoog en deed ze haar enorme kaken open om een grote straal vuur te spuwen in de richting van de rotswand.

Een boos gegil kwam boven het gebulder van de vlammen uit, maar Lily en Koningin Draak negeerden het. Oranje vlammen stroomden uit de bek van Koningin Draak tot de sneeuw op de top van de rotswand verdampte en de rotsen roodgloeiend waren. Ze barstten en vielen als een lawine in het water. Het water kookte en wolken stoom stegen rond hen op. Als ze de mantel van Gekke Bernard niet aan had gehad, was Lily levend gekookt. Maar toen dat Koningin Draak geen vuur meer over had, was het Gouden Kind verdwenen. Er was slechts een zwart, gebarsten stuk rots waar ooit het beeld gestaan had.

De macht van de Drakenondergang was voorgoed verbroken.

Een week later, terug in Asrijk, zat Lily aan een werkbank in de kas van de Lisa Boonstaaktuin, waar ze de blauwe lelie opnieuw ging planten. Drie bloemen lagen te drogen op een vel dik papier. Nu was ze met een mesje voorzichtig inkepingen aan het maken in de onderkant van de moederbol. Met een beetje geluk zou er volgend jaar uit elke inkeping een nieuw bolletje komen, zodat ze vier blauwe lelies zou hebben, in plaats van een. Over een tijdje zouden ze dan net zoveel bloemen, en dus net zoveel Blusdruppels hebben als Asrijk nodig had.

Lily vulde een bloempot met zachte bruine

aarde en zette de bol er zorgvuldig in. Ze besproeide de pot met water, dekte hem af met een stuk vochtige jute en zette hem voorzichtig neer. Iemand tikte tegen het raam van de kas. Ze keek op en zag meneer Hartman naar binnen leunen.

'Ik kwam even vertellen,' zei hij, 'dat koning Leopold een speciale raadsvergadering wil houden. Hij begint over een uur.'

'Dankjewel,' zei Lily. 'Hoe is het met Julia?'

'Heel goed,' zei meneer Hartman. 'Ze is erg blij dat ze weer thuis is, maar ze is heel verdrietig om Gordon. Ze hield erg veel van hem. En hoewel ze alles haatte waar hij voor stond, geloof ik dat ze de graaf op de een of andere manier toch ook wel mocht.' Hij viel even stil. 'Leopold en Angeline hebben hun verontschuldigingen aangeboden. En Tina ook. Niet dat ik het hen kwalijk neem. Niemand mocht weten dat ik nog steeds op zoek was naar Julia, terwijl iedereen dacht dat ze dood was. We waren de enigen die nooit de hoop hebben opgegeven.'

'Dat is fantastisch,' zei Lily warm.

'Dat vinden wij ook,' zei meneer Hartman. Toen glimlachte hij en liep naar het kasteel.

Lily stopte de pot met de blauwe lelie in haar rugzak. Ze ging naar buiten, ademde de frisse lucht in en huppelde naar het Drakenhuis. Daar, voor de deur, lag Koningin Draak op haar rug. Ze zwiepte met haar staart op de maat van een krasserige opera op een ouderwetse grammofoon.

'Dat klinkt afschuwelijk!' Lily wond de grammofoon weer op en de plaat begon weer sneller te draaien. Het gezang klonk nog verschrikkelijker dan daarvoor en Lily drukte haar handen tegen haar oren. Koningin Draak pinkte een traantje weg.

'Wat een treurige muziek,' zei ze. 'Draken komen er maar slecht vanaf in opera's. Een goed excuus om eens fijn een potje te janken.'

'Een potje janken? Maar, Koningin Draak, wat is er aan de hand?' Lily ging op het grasveld voor haar zitten.

Koningin Draak haalde haar schouders op. 'O, niets bijzonders. Ik heb wat verdriet om een draak die ik ooit gekend heb.'

'Was... was hij een van de draken die zijn omgekomen in de oorlog?' vroeg Lily.

'Nee. Hoewel hij wel bij de gevechten was. We waren beste vrienden en als ik wat ouder was dan... dan zouden we gaan trouwen.' Koningin Draak bloosde tot ze ervan gloeide. 'Een drakenbruiloft is een hele gebeurtenis. Het spijt me dat je er nooit een zult meemaken. Maar toen kwam de oorlog en... de rest weet je. De meeste draken kwamen om. Maar tijdens de zwaarste gevechten wist een paar van hen te ontkomen aan de lokroep van het Gouden Kind. Mijn vriend, Koning Draak, en zijn makkers gingen door de Oog-steen, net als Gordon, op zoek naar magische hulp om een einde te maken aan de oorlog. Maar ze zijn nooit teruggekomen.'

Lily moest dit even verwerken. 'Het was maar een heel klein gat,' zei ze. 'Hoe past een draak daar doorheen?'

'Heel gemakkelijk,' zei Koningin Draak. 'Denk eens terug, Lily. Jij wilde toch ook door dat gat kruipen? Het zou krap geweest zijn, maar ik wil wedden dat het net groot genoeg was.'

'Ja, dat klopt,' zei Lily.

'En toen Gordon erdoor kroop, paste hij er ook net doorheen, hoewel hij groter en een stuk dikker was dan jij bent. En als een draak er doorheen probeerde te gaan, zou ongetwijfeld hetzelfde gebeuren.'

'Bedoel je,' zei Lily die het begon te begrijpen, 'dat het gat in de steen groter of kleiner wordt afhankelijk van wie erdoor probeert te gaan?'

'Ja,' knikte Koningin Draak. 'Het enige probleem is dat dit soort magische doorgangen steeds naar andere bestemmingen leiden. Ik weet niet waar Koning Draak terecht is gekomen, of in welke tijd. Het kan duizend jaar in het verleden zijn, of misschien een paar honderd jaar in de toekomst. Nu ik weet dat het Gouden Kind verdwenen is en de Drakenondergang weer veilig is, ga ik misschien wel een keer naar hem op zoek.'

'Als die tijd komt, zal ik je helpen, Koningin Draak,' beloofde Lily. 'Je hoeft het maar te zeggen.'

'Dank je, Lily,' zei Koningin Draak. 'Een draak kan zich geen betere vriendin wensen.'

In de troonzaal van kasteel Asrijk was de Raad van Koning Leopold bijeengekomen. Leopold, Angeline, Lily, Jason en meneer Hartman zaten op hun houten stoelen rond de tafel, en Koningin Draak keek naar binnen door het raam bij de binnenplaats. Naast de tronen aan het hoofd van de tafel stond nog iemand. Een man die in het verleden zelf op de troon had

gezeten en namens de Zwarte Graaf had gere-
geerd: de voormalige kapitein Zots.

Leopold stond op. De Grote Kroon van
Asrijk lag in zijn met fluweel beklede kist op
de tafel voor hem. Ernaast lag de koninklijke
scepter en een opengeslagen, groot boek met
een pen en inktpot. Voor elk lid van de raad
stond een gouden beker met het koninklijke
wapen van Asrijk erop.

'Welkom allemaal,' zei Leopold. 'Ik heb
deze vergadering bijeengeroepen omdat koningin Angeline en ik jullie willen voorstellen
aan een nieuw lid van de Koninklijke Raad:
Kapitein... eh meneer Zots. Zoals jullie allemaal weten was meneer Zots de enige, behalve
Lily Quench, die meneer Hartman vertrouwde
gedurende de gebeurtenissen van de afgelopen
weken. Maar jullie weten waarschijnlijk niet
dat hij ook op Asrijk heeft gepast toen koningin Angeline en ik in de Zwarte Bergen waren. We vonden dat hij hiervoor beloond moest
worden, dus hebben we besloten hem ridder te
maken in de Orde van de Drakenspeer. Wil-

librord, zou je voor me willen neerknielen?'

Meneer Zots stapte naar voren en knielde op het paarse kussen. Terwijl de anderen toekeken, pakte Leopold statig de Grote Kroon van Asrijk. Toen hij die op zijn hoofd had gezet, gaf koningin Angeline hem de scepter, waarmee hij meneer Zots lichtjes op de schouder tikte.

'Heer Willibrord, hierbij sla ik u tot ridder in de Orde van de Drakenspeer. Belooft u trouw te zijn aan de Koning en Koningin van Asrijk tot het einde van uw leven?'

'Dat beloof ik,' gromde Zots.

'Draag deze eer moedig,' zei Leopold en hij leunde naar voren om een kleine bruine medaille op Zots' jasje te spelden. Koningin Angeline kuste hem op zijn wang en iedereen stond op en proostte op de nieuwe ridder.

'Tjonge!' zei een stem uit de deuropening. 'Dit is schitterend. Alweer bezig met je oude streken, zie ik!'

'O nee,' mompelde Leopold. Hij wierp een wanhopige blik op Angeline, maar er was geen ontkomen aan: Kristel schreed de troonzaal al binnen. Hoewel ze geen bontjas meer had, zag ze er nog altijd spectaculair uit. Lily vond Kristels jurk vol lovertjes en gouden franje zelfs de verschrikkelijkste japon die ze ooit gezien had.

'Die franje ziet er erg lekker uit,' fluisterde Koningin Draak door het raam.

'Dat heb ik gehoord, hagedis,' zei Kristel. 'Je moet wat beter op je manieren letten, want ik ben tenslotte de Koningin-Moeder, zelfs al heeft die mislukte schoonzoon van mij nog niet het fatsoen gehad om mij te laten kronen. En na wat ik zojuist gezien heb, Angeline, heb je geen reden meer om te weigeren. Als je die dikke malloot daar ridder in de Orde van de Drakenspeer kunt maken…'

Leopold onderbrak haar. 'Eerlijk gezegd, Kristel, kom je precies op het goede moment. Jouw titel stond als volgende op mijn lijstje.'

'Wat zeg je?' Kristel keek stomverbaasd.

'Ja,' zei Leopold. 'Ik denk er zelfs over om je een heel nieuwe titel te geven. Niet nu meteen, maar over zes maanden. Wat vind je van

'Grootmoeder van de Prins'?'

'Grootmoeder van de Prins?' fronste Kristel.

'Ja, precies. Of 'Grootmoeder van de Prinses'.'

'Maar ik ben helemaal geen grootmoeder,' protesteerde Kristel. 'En bovendien ben ik veel te jong om...' Opeens begon er iets te dagen. Ze deed haar mond dicht en keek Angeline achterdochtig aan. 'Over zes maanden, zei je?'

'Ja, moeder,' zei Angeline. 'Leopold en ik krijgen een kindje. Maar waarom kijkt u zo verbaasd?'

'Ik had niet gedacht dat hij het in zich had,' antwoordde Kristel.

'Moeder!' riep Angeline. 'U kunt op zijn minst doen alsof u blij voor ons bent.'

'Ik ben blij,' zei Kristel. 'Ook al ben ik veel te jong. Maar goed, ik was een jonge bruid.'

'Ik vind het een wonder dat ze überhaupt een bruid is geweest,' mompelde Koningin Draak.

Kristel zag eruit alsof ze zou ontploffen. Lily sprong snel van haar stoel en hief haar beker op. 'Een toost,' zei ze. 'Op Kristel, de Koninklijke Grootmoeder. Dat haar afstammelingen voor altijd over Asrijk mogen regeren.'

'Amen,' zei meneer Hartman.

'Op moeder,' zei Angeline.

'Daar sluit ik me bij aan,' zei Leopold.

'Dat is je geraden,' zei Kristel. 'Koninklijke Grootmoeder, hè? Klinkt goed. Ik vind dat daar wel een salarisverhoging bij hoort, vind je niet?'